JULIO CORTÁZAR

Alguien que anda por ahí

EDITORIAL HERMES

MÉXICO

© EDITORIAL HERMES, S. A.
Ignacio Mariscal No. 41
México 1, D. F.

PRINTED IN MEXICO
IMPRESO EN MEXICO

CAMBIO DE LUCES

Esos jueves al caer la noche cuando Lemos me llamaba después del ensayo en Radio Belgrano y entre dos cinzanos los proyectos de nuevas piezas, tener que escuchárselos con tantas ganas de irme a la calle y olvidarme del radioteatro por dos o tres siglos, pero Lemos era el autor de moda y me pagaba bien para lo poco que yo tenía que hacer en sus programas, papeles más bien secundarios y en general antipáticos. Tenés la voz que conviene, decía amablemente Lemos, el radioescucha te escucha y te odia, no hace falta que traiciones a nadie o que mates a tu mamá con estricnina, vos abrís la boca y ahí nomás media Argentina quisiera romperte el alma a fuego lento.

No Luciana, precisamente el día en que nuestro galán Jorge Fuentes al término de *Rosas de ignominia* recibía dos canastas de cartas de amor y un corderito blanco mandado por una estanciera romántica del lado de Tandil, el petiso Mazza me entregó el primer sobre lila de Luciana. Acostumbrado a la nada en tantas de sus formas, me lo guardé en el bolsillo antes de irme al café (teníamos una semana de descanso después del triunfo de *Rosas* y el comienzo de *Pájaro en la tormenta*) y solamente en el segundo martini con Juárez Celman y Olive me subió al recuerdo el color del sobre y me di cuenta de que no había leído la carta; no quise delante de ellos porque los aburridos buscan tema y un sobre lila es una mina de oro, esperé a llegar a mi departamento donde la gata por lo menos no se fijaba en esas cosas, le di su leche y su ración de arrumacos, conocí a Luciana.

No necesito ver una foto de usted, decía Luciana, no me importa que *Sintonía* y *Antena* publiquen fotos de Míguez y de Jorge Fuentes pero nunca de usted, no me importa porque tengo su voz, y tampoco me importa que digan que es antipático y villano, no me importa que sus papeles engañen a todo el mundo, al contrario, porque me hago la ilusión de ser la sola que sabe la verdad: usted sufre cuando interpreta esos papeles, usted pone su talento pero yo siento que no está ahí de veras como Míguez o Raquelita Bailey, usted es tan diferente del príncipe cruel de *Rosas de ignominia*. Creyendo que odian al príncipe lo odian a usted, la gente confunde y ya me di cuenta con mi tía Poli y otras personas el año pasado cuando usted era Vassilis, el contrabandista asesino. Esta tarde me he sentido un poco sola y he querido decirle esto, tal vez no soy la única que se lo ha dicho y de alguna manera lo deseo por

usted, que se sepa acompañado a pesar de todo,
pero al mismo tiempo me gustaría ser la única
que sabe pasar al otro lado de sus papeles y de su
voz, que está segura de conocerlo de veras y de
admirarlo más que a los que tienen los papeles
fáciles. Es como con Shakespeare, nunca se lo he
dicho a nadie, pero cuando usted hizo el papel,
Yago me gustó más que Otelo. No se crea obli-
gado a contestarme, pongo mi dirección por si
realmente quiere hacerlo, pero si no lo hace yo
me sentiré lo mismo feliz de haberle escrito todo
esto.

Caía la noche, la letra era liviana y fluida, la
gata se había dormido después de jugar con el
sobre lila en el almohadón del sofá. Desde la irre-
versible ausencia de Bruna ya no se cenaba en mi
departamento, las latas nos bastaban a la gata y
a mí, y a mí especialmente el coñac y la pipa.
En los días de descanso (después tendría que trabajar el papel de *Pájaro en la tormenta*) releí la
carta de Luciana sin intención de contestarla porque en ese terreno un actor, aunque solamente
reciba una carta cada tres años, estimada Luciana, le contesté antes de irme al cine el viernes por
la noche, me conmueven sus palabras y ésta no
es una frase de cortesía. Claro que no lo era, escribí como si esa mujer que imaginaba más bien
chiquita y triste y de pelo castaño con ojos claros
estuviera sentada ahí y yo le dijera que me con-
movían sus palabras. El resto salió más conven-

cional porque no encontraba qué decirle después
de la verdad, todo se quedaba en un relleno de
papel, dos o tres frases de simpatía y de grati-
tud, su amigo Tito Balcárcel. Pero había otra
verdad en la postdata: Me alegro de que me haya
dado su dirección, hubiera sido triste no poder
decirle lo que siento.

A nadie le gusta confesarlo, cuando no se traba-
ja uno termina por aburrirse un poco, al menos
alguien como yo. De muchacho tenía bastantes
aventuras sentimentales, en las horas libres podía
recorrer el espinel y casi siempre había pesca, pero
después vino Bruna y eso duró cuatro años, a los
treinta y cinco la vida en Buenos Aires empieza
a desteñirse y parece que se achicara, al menos
para alguien que vive solo con una gata y no es
gran lector ni amigo de caminar mucho. No que
me sienta viejo, al contrario; más bien parecería
que son los demás, las cosas mismas que envejecen
y se agrietan; por eso a lo mejor preferir las tardes
en el departamento, ensayar *Pájaro en la tormenta*
a solas con la gata mirándome, vengarme de esos
papeles ingratos llevándolos a la perfección, ha-
ciéndolos míos y no de Lemos, transformando las
frases más simples en un juego de espejos que
multiplicaba lo peligroso y fascinante del personaje. Y así a la hora de leer el papel en la radio
todo estaba previsto, cada coma y cada inflexión
de la voz, graduando los caminos del odio (otra
vez uno de esos personajes con algunos aspectos

perdonables pero cayendo poco a poco en la infamia hasta un epílogo de persecución al borde
de un precipicio y salto final con gran contento
de radioescuchas). Cuando entre dos mates encontré la carta de Luciana olvidada en el estante de
las revistas y la releí de puro aburrido, pasó que
de nuevo la vi, siempre he sido visual y fabrico
fácil cualquier cosa, de entrada Luciana se me
había dado más bien chiquita y de mi edad o por
ahí, sobre todo con ojos claros y como transpa-
rentes, y de nuevo la imaginé así, volví a verla
como pensativa antes de escribirme cada frase y
después decidiéndose. De una cosa estaba seguro,
Luciana no era mujer de borradores, seguro que
había dudado antes de escribirme, pero después
escuchándome en *Rosas de ignominia* le habían
ido viniendo las frases, se sentía que la carta era
espontánea y a la vez —acaso por el papel lila—
dándome la sensación de un licor que ha dormido
largamente en su frasco.

Hasta su casa imaginé con sólo entornar los
ojos, su casa debía ser de ésas con patio cubierto
o por lo menos galería con plantas, cada vez que
pensaba en Luciana la veía en el mismo lugar, la
galería desplazando finalmente el patio, una galería cerrada con claraboyas de vidrios de colores
y mamparas que dejaban pasar la luz agrisándola,
Luciana sentada en un sillón de mimbre y escribiéndome usted es muy diferente del príncipe
cruel de *Rosas de ignominia*, llevándose la lapicera

a la boca antes de seguir, nadie lo sabe porque tiene tanto talento que la gente lo odia, el pelo castaño como envuelto por una luz de vieja fotografía, ese aire ceniciento y a la vez nítido de la galería cerrada, me gustaría ser la única que sabe pasar al otro lado de sus papeles y de su voz.

La víspera de la primera tanda de *Pájaro* hubo que comer con Lemos y los otros, se ensayaron algunas escenas de esas que Lemos llamaba clave y nosotros clavo, choque de temperamentos y andanadas dramáticas, Raquelita Bailey muy bien en el papel de Josefina, la altanera muchacha que lentamente yo envolvería en mi consabida telaraña de maldades para las que Lemos no tenía límites. Los otros calzaban justo en sus papeles, total maldita la diferencia entre ésa y las dieciocho radionovelas que ya llevábamos actuadas. Si me acuerdo del ensayo es porque el petiso Mazza me trajo la segunda carta de Luciana y esa vez sentí ganas de leerla en seguida y me fui un rato al baño mientras Angelita y Jorge Fuentes se juraban amor eterno en un baile de Gimnasia y Esgrima, esos escenarios de Lemos que desencadenaban el entusiasmo de los habitués y daban más fuerza a las identificaciones psicológicas con los personajes, por lo menos según Lemos y Freud.

Le acepté la simple, linda invitación a conocerla en una confitería de Almagro. Había el detalle monótono del reconocimiento, ella de rojo y yo llevando el diario doblado en cuatro, no podía ser

de otro modo y el resto era Luciana escribiéndome
de nuevo en la galería cubierta, sola con su madre
o tal vez su padre, desde el principio yo había
visto un viejo con ella en una casa para una familia más grande y ahora llena de huecos donde
habitaba la melancolía de la madre por otra hija
muerta o ausente, porque acaso la muerte había
pasado por la casa no hacía mucho, y si usted
no quiere o no puede yo sabré comprender, no me
corresponde tomar la iniciativa pero también sé
—lo había subrayado sin énfasis— que alguien
como usted está por encima de muchas cosas. Y
agregaba algo que yo no había pensado y que me
encantó, usted no me conoce salvo esa otra carta,
pero yo hace tres años que vivo su vida, lo siento
como es de veras en cada personaje nuevo, lo
arranco del teatro y usted es siempre el mismo
para mí cuando ya no tiene el antifaz de su papel.
(Esa segunda carta se me perdió, pero las frases
eran así, decían eso; recuerdo en cambio que la
primera carta la guardé en un libro de Moravia
que estaba leyendo, seguro que sigue ahí en la
biblioteca.)

Si se lo hubiera contado a Lemos le habría dado
una idea para otra pieza, clavado que el encuentro se cumplía después de algunas alternativas de
suspenso y entonces el muchacho descubría que
Luciana era idéntica a lo que había imaginado,
prueba de cómo el amor se adelanta al amor y la
vista a la vista, teorías que siempre funcionaban

bien en Radio Belgrano. Pero Luciana era una mujer de más de treinta años, llevados eso sí con todas las de la ley, bastante menos menuda que la mujer de las cartas en la galería, y con un precioso pelo negro que vivía como por su cuenta cuando movía la cabeza. De la cara de Luciana yo no me había hecho una imagen precisa salvo los ojos claros y la tristeza; los que ahora me recibieron sonriéndome eran marrones y nada tristes bajo ese pelo movedizo. Que le gustara el whisky me pareció simpático, por el lado de Lemos casi todos los encuentros románticos empezaban con té (y con Bruna había sido café con leche en un vagón de ferrocarril). No se disculpó por la invitación, y yo que a veces sobreactúo porque en el fondo no creo demasiado en nada de lo que me sucede, me sentí muy natural y el whisky por una vez no era falsificado. De veras, lo pasamos muy bien y fue como si nos hubieran presentado por casualidad y sin sobreentendidos, como empiezan las buenas relaciones en que nadie tiene nada que exhibir o que disimular; era lógico que se hablara sobre todo de mí porque yo era el conocido y ella solamente dos cartas y Luciana, por eso sin parecer vanidoso la dejé que me recordara en tantas novelas radiales, aquella en que me mataban torturándome, la de los obreros sepultados en la mina, algunos otros papeles. Poco a poco yo le iba ajustando la cara y la voz, desprendiéndome con trabajo de las cartas, de la galería cerrada y

el sillón de mimbre; antes de separarnos me enteré
de que vivía en un departamento bastante chico
en planta baja y con su tía Poli que allá por los
años treinta había tocado el piano en Pergamino.
También Luciana hacía sus ajustes como siempre
en esas relaciones de gallo ciego, casi al final me
dijo que me había imaginado más alto, con pelo
crespo y ojos grises; lo del pelo crespo me sobresaltó porque en ninguno de mis papeles yo me había
sentido a mí mismo con pelo crespo, pero acaso
su idea era como una suma, un amontonamiento
de todas las canalladas y las traiciones de las piezas de Lemos. Se lo comenté en broma y Luciana
dijo que no, los personajes los había visto tal como
Lemos los pintaba pero al mismo tiempo era capaz de ignorarlos, de hermosamente quedarse sólo
conmigo, con mi voz y vaya a saber por qué con
una imagen de alguien más alto, de alguien con el
pelo crespo.

Si Bruna hubiera estado aún en mi vida no creo
que me hubiera enamorado de Luciana; su ausencia era todavía demasiado presente, un hueco en
el aire que Luciana empezó a llenar sin saberlo,
probablemente sin esperarlo. En ella en cambio
todo fue más rápido, fue pasar de mi voz a ese
otro Tito Balcárcel de pelo lacio y menos perso-
nalidad que los monstruos de Lemos; todas esas
operaciones duraron apenas un mes, se cumplie-
ron en dos encuentros en cafés, un tercero en mi
departamento, la gata aceptó el perfume y la piel

de Luciana, se le durmió en la falda, no pareció
de acuerdo con un anochecer en que de golpe estuvo de más, en que debió saltar maullando al
suelo. La tía Poli se fue a vivir a Pergamino con
una hermana, su misión estaba cumplida y Luciana se mudó a mi casa esa semana; cuando la
ayudé a preparar sus cosas me dolió la falta de la
galería cubierta, de la luz ceniciento, sabía que no
las iba a encontrar y sin embargo había algo como
una carencia, una imperfección. La tarde de la
mudanza la tía Poli me contó dulcemente la mó-
dica saga de la familia, la infancia de Luciana, el
novio aspirado para siempre por una oferta de fri-
goríficos de Chicago, el matrimonio con un hote-
lero de Primera Junta y la ruptura seis años atrás,
cosas que yo había sabido por Luciana pero de
otra manera, como si ella no hubiera hablado verdaderamente de sí misma ahora que parecía empezar a vivir por cuenta de otro presente, de mi
cuerpo contra el suyo, los platitos de leche a la
gata, el cine a cada rato, el amor.

Me acuerdo que fue más o menos en la época
de *Sangre en las espigas* cuando le pedí a Luciana
que se aclarara el pelo. Al principio le pareció un
capricho de actor, si querés me compro una pelu-
ca, me dijo riéndose, y de paso a vos te quedaría
tan bien una con el pelo crespo, ya que estamos.
Pero cuando insistí unos días después, dijo que
bueno, total lo mismo le daba el pelo negro o castaño, fue casi como si se diera cuenta de que en mí

ese cambio no tenía nada que ver con mis manías
de actor sino con otras cosas, una galería cubierta,
un sillón de mimbre. No tuve que pedírselo otra
vez, me gustó que lo hubiera hecho por mí y se
lo dije tantas veces mientras nos amábamos, mientras me perdía en su pelo y sus senos y me dejaba
resbalar con ella a otro largo sueño boca a boca.
(Tal vez a la mañana siguiente, o fue antes de salir
de compras, no lo tengo claro, le junté el pelo con
las dos manos y se lo até en la nuca, le aseguré que
le quedaba mejor así. Ella se miró en el espejo y
no dijo nada, aunque sentí que no estaba de acuerdo y que tenía razón, no era mujer para recogerse
el pelo, imposible negar que le quedaba mejor
cuando lo llevaba suelto antes de aclarárselo, pero
no se lo dije porque me gustaba verla así, verla
mejor que aquella tarde cuando había entrado por
primera vez en la confitería.)

Nunca me había gustado escucharme actuando,
hacía mi trabajo y basta, los colegas se extrañaban
de esa falta de vanidad que en ellos era tan visible;
debían pensar, acaso con razón, que la naturale-
za de mis papeles no me inducía demasiado a recor-
darlos, y por eso Lemos me miró levantando las
cejas cuando le pedí los discos de archivo de *Rosas
de ignominia*, me preguntó para qué los quería y
le contesté cualquier cosa, problemas de dicción
que me interesaba superar o algo así. Cuando llegué con el álbum de discos, Luciana se sorprendió
también un poco porque yo no le hablaba nunca

de mi trabajo, era ella que cada tanto me daba sus impresiones, me escuchaba por las tardes con la gata en la falda. Repetí lo que le había dicho a Lemos pero en vez de escuchar las grabaciones en otro cuarto traje el tocadiscos al salón y le pedí a Luciana que se quedara un rato conmigo, yo mismo preparé el té y arreglé las luces para que estuviera cómoda. Por qué cambiás de lugar esa lámpara, dijo Luciana, queda bien ahí. Quedaba bien como objeto pero echaba una luz cruda y caliente sobre el sofá donde se sentaba Luciana, era mejor que sólo le llegara la penumbra de la tarde desde la ventana, una luz un poco cenicienta que se envolvía en su pelo, en sus manos ocupándose del té. Me mimás demasiado, dijo Luciana, todo para mí y vos ahí en un rincón sin siquiera sentarte.

Desde luego puse solamente algunos pasajes de *Rosas*, el tiempo de dos tazas de té, de un cigarrillo. Me hacía bien mirar a Luciana atenta al drama, alzando a veces la cabeza cuando reconocía mi voz y sonriéndome como si no le importara saber que el miserable cuñado de la pobre Carmencita comenzaba sus intrigas para quedarse con la fortuna de los Pardo, y que la siniestra tarea continuaría a lo largo de tantos episodios hasta el inevitable triunfo del amor y la justicia según Lemos. En mi rincón (había aceptado una taza de té a su lado pero después había vuelto al fondo del salón como si desde ahí se escuchara mejor) me sentía bien, reencontraba por un momento

algo que me había estado faltando; hubiera querido
que todo eso se prolongara, que la luz del anochecer siguiera pareciéndose a la de la galería cubierta. No podía ser, claro, y corté el tocadiscos y
salimos juntos al balcón después que Luciana hubo
devuelto la lámpara a su sitio porque realmente
quedaba mal allí donde yo la había corrido. ¿Te
sirvió de algo escucharte?, me preguntó acarician-
dome una mano. Sí, de mucho, hablé de problemas
de respiración, de vocales, cualquier cosa que ella
aceptaba con respeto; lo único que no le dije fue
que en ese momento perfecto sólo había faltado
el sillón de mimbre y quizá también que ella hubiera estado triste, como alguien que mira el vacío
antes de continuar el párrafo de una carta.

Estábamos llegando al final de *Sangre en las
espigas*, tres semanas más y me darían vacaciones.
Al volver de la radio encontraba a Luciana leyendo
o jugando con la gata en el sillón que le había
regalado para su cumpleaños junto con la mesa
de mimbre que hacía juego. No tienen nada que
ver con este ambiente, había dicho Luciana entre
divertida y perpleja, pero si a vos te gustan a mí
también, es un lindo juego y tan cómodo. Vas a
estar mejor en él si tenés que escribir cartas, le
dije. Sí, admitió Luciana, justamente estoy en
deuda con tía Poli, pobrecita. Como por la tarde
tenía poca luz en el sillón (no creo que se hubiera
dado cuenta de que yo había cambiado la bom-
billa de la lámpara) acabó por poner la mesita

y el sillón cerca de la ventana para tejer o mirar
las revistas, y tal vez fue en esos días de otoño,
o un poco después, que una tarde me quedé mucho tiempo a su lado, la besé largamente y le dije
que nunca la había querido tanto como en ese
momento, tal como la estaba viendo, como hubiera querido verla siempre. Ella no dijo nada, sus
manos andaban por mi pelo despeinándome, su
cabeza se volcó sobre mi hombro y se estuvo quieta, como ausente. ¿Por qué esperar otra cosa de
Luciana, así al filo del atardecer? Ella era como
los sobres lila, como las simples, casi tímidas frases
de sus cartas. A partir de ahora me costaría imaginar que la había conocido en una confitería,
que su pelo negro suelto había ondulado como un
látigo en el momento de saludarme, de vencer la
primera confusión del encuentro. En la memoria
de mi amor estaba la galería cubierta, la silueta
en un sillón de mimbre distanciándola de la imagen más alta y vital que de mañana andaba por
la casa o jugaba con la gata, esa imagen que al
atardecer entraría una y otra vez en lo que yo
había querido, en lo que me hacía amarla tanto.

Decírselo, quizá. No tuve tiempo, pienso que
vacilé porque prefería guardarla así, la plenitud
era tan grande que no quería pensar en su vago
silencio, en una distracción que no le había conocido antes, en una manera de mirarme por momentos como si buscara algo, un aletazo de mirada devuelta en seguida a lo inmediato, a la gata

o a un libro. También eso entraba en mi manera
de preferirla, era el clima melancólico de la galería
cubierta, de los sobres lila. Sé que en algún despertar en la alta noche, mirándola dormir contra
mí, sentí que había llegado el tiempo de decírselo,
de volverla definitivamente mía por una aceptación total de mi lenta telaraña enamorada. No lo
hice porque Luciana dormía, porque Luciana
estaba despierta, porque ese martes íbamos al cine,
porque estábamos buscando un auto para las vacaciones, porque la vida venía a grandes pantalla-
zos antes y después de los atardeceres en que la
luz cenicienta parecía condensar su perfección
en la pausa del sillón de mimbre. Que me hablara
tan poco ahora, que a veces volviera a mirarme
como buscando alguna cosa perdida, retardaban
en mí la oscura necesidad de confiarle la verdad,
de explicarle por fin el pelo castaño, la luz de la
galería. No tuve tiempo, un azar de horarios cam-
biados me llevó al centro un fin de mañana, la vi
salir de un hotel, no la reconocí al reconocerla, no
comprendí al comprender que salía apretando el
brazo de un hombre más alto que yo, un hombre
que se inclinaba un poco para besarla en la oreja,
para frotar su pelo crespo contra el pelo castaño
de Luciana.

VIENTOS ALISIOS

Vaya a saber a quién se le había ocurrido, tal vez a Vera la noche de su cumpleaños cuando Mauricio insistía en que empezaran otra botella de champaña y entre copa y copa bailaban en el salón pegajoso de humo de cigarro y medianoche, o quizá a Mauricio en ese momento en que *Blues in Thirds* les traía desde tan antes el recuerdo de los primeros tiempos, de los primeros discos cuando los cumpleaños eran más que una ceremonia cadenciosa y recurrente. Como un juego, hablar mientras bailaban, cómplices sonrientes en la modorra paulatina del alcohol y del humo, decirse que por qué no, puesto que al fin y al cabo, ya que podían hacerlo y allá sería el verano, habían mirado juntos e indiferentes el prospecto de la agencia de viajes, de golpe la idea, Mauricio o Vera, simplemente telefonear, irse al aeropuerto, probar si el juego valía la pena, esas cosas se hacen de una vez o no, al fin y al cabo qué, en el peor de los casos volverse con la misma amable ironía que los había devuelto de tantos viajes aburridos, pero probar ahora de otra manera, jugar el juego, hacer el balance, decidir.

Porque esta vez (y ahí estaba lo nuevo, la idea que se le había ocurrido a Mauricio pero que bien podía haber nacido de una reflexión casual de Vera, veinte años de vida en común, la simbiosis mental, las frases empezadas por uno y completadas desde el otro extremo de la mesa o el otro teléfono), esta vez podía ser diferente, no había más que codificarlo, divertirse desde el absurdo total de partir en diferentes aviones y llegar como desconocidos al hotel, dejar que el azar los presentara en el comedor o en la playa al cabo de uno o dos días, mezclarse con las nuevas relaciones del veraneo, tratarse cortésmente, aludir a profesiones y familias en la rueda de los cócteles, entre tantas otras profesiones y otras vidas que buscarían como ellos el leve contacto de las vacaciones. A nadie iba a llamarle la atención la coincidencia de apellido puesto que era un apellido vulgar, sería tan divertido graduar el lento conocimiento mutuo, ritmándolo con el de los otros huéspedes, distraerse con la gente cada uno por su lado, favorecer el azar de los encuentros y de cuando en cuando verse a solas y mirarse como ahora mientras bailaban *Blues in Thirds* y por momentos se detenían para alzar las copas de champaña y las chocaban suavemente con el ritmo exacto de la música, corteses y educados y cansados y ya la una y media entre tanto humo y el perfume que Mauricio había querido poner esa noche en el pelo de Vera, preguntándose si no se habría equivocado de perfume, si Vera alzaría un poco la nariz y aprobaría, la difícil y rara aprobación de Vera.

Siempre habían hecho el amor al final de sus cumpleaños, esperando con amable displicencia la partida de los últimos amigos, y esta vez en que no había nadie, en que no habían invitado a nadie porque estar con gente los aburría más que estar solos, bailaron hasta el final del disco y siguieron abrazados, mirándose en una bruma de semisueño, salieron del salón manteniendo todavía un ritmo imaginario, perdidos y casi felices y descalzos sobre la alfombra del dormitorio, se demoraron en un lento desnudarse al borde de la cama, ayudándose y complicándose y besos y botones y otra vez el encuentro con las inevitables preferencias, el ajuste de cada uno a la luz de la lámpara que los condenaba a la repetición de imágenes cansadas, de murmullos sabidos, el lento hundirse en la modorra insatisfecha después de la repetición de las fórmulas que volvían a las palabras y a los cuerpos como un necesario, casi tierno deber.

Por la mañana era domingo y lluvia, desayunaron en la cama y lo decidieron en serio; ahora había que legislar, establecer cada fase del viaje para que no se volviera un viaje más y sobre todo un regreso más. Lo fijaron contando con los dedos: irían separadamente, uno, vivirían en habitaciones diferentes sin que nada les impidiera aprovechar del verano, dos, no habría censuras ni miradas como las que tanto conocían, tres, un encuentro sin testigos permitiría cambiar impresiones y saber si valía la pena, cuatro, el resto era rutina, volverían en el mismo avión puesto que ya no importarían los demás (o sí, pero eso se vería con arreglo al artículo cuatro), cinco. Lo que iba a pasar después no estaba numerado, entraba en una zona a la vez decidida e incierta, suma aleatoria en la que todo podía darse y de la que no había que hablar. Los aviones para Nairobi salían los jueves y los sábados, Mauricio se fue en el primero después de un almuerzo en el que comieron salmón por si las moscas, recitándose brindis y regalándose talismanes, no te olvides de la quinina, acordate que siempre dejás en casa la crema de afeitar y las sandalias.

Divertido llegar a Mombasa, una hora de taxi y que la llevaran al *Trade Winds*, a un bungalow sobre la playa con monos cabriolando en los cocoteros y sonrientes caras africanas, ver de lejos a Mauricio ya dueño de casa, jugando en la arena con una pareja y un viejo de patillas rojas. La hora de los cócteles los acercó en la veranda abierta sobre el mar, se hablaba de caracoles y arrecifes, Mauricio entró con una mujer y dos hombres jóvenes, en algún momento quiso saber de dónde venía Vera y explicó que él llegaba de Francia y que era geólogo. A Vera le pareció bien que Mauricio fuera geólogo y contestó las preguntas de los otros turistas, la pediatría que cada tanto le reclamaba unos días de descanso para no caer en la depresión, el viejo de las patillas rojas era un diplomático jubilado, su esposa se vestía como si tuviera veinte años pero no le quedaba tan mal en un sitio donde casi todo parecía una película en colores, camareros y monos incluidos y hasta el nombre *Trade Winds* que recordaba a Conrad y a Somerset Maugham, los cócteles servidos en cocos, las camisas sueltas, la playa por la que se podía pasear después de la cena bajo una luna tan despiadada que las nubes proyectaban sus movientes sombras sobre la arena para asombro de gentes aplastadas por cielos sucios y brumosos.

Los últimos serán los primeros, pensó Vera cuando Mauricio dijo que le habían dado una habitación en la parte más moderna del hotel, cómoda pero sin la gracia de los bungalows sobre la playa. Se jugaba a las cartas por la noche, el día era un diálogo interminable de sol y sombra, mar y refugio bajo las palmeras, redescubrir el cuerpo pálido y cansado a cada chicotazo de las olas, ir a los arrecifes en piragua para sumergirse con máscaras y ver los corales azules y rojos, los peces inocentemente próximos. Sobre el encuentro con dos estrellas de mar, una con pintas rojas y la otra llena de triángulos violeta, se habló mucho el segundo día, a menos que ya fuera el tercero, el tiempo resbalaba como el tibio mar sobre la piel, Vera nadaba con Sandro que había surgido entre dos cócteles y se decía harto de Verona y de automóviles, el inglés de las patillas rojas estaba insolado y el médico vendría de Mombasa para verlo, las langostas eran increíblemente enormes en su última morada de mayonesa y rodajas de limón, las vacaciones. De Anna sólo se había visto una sonrisa lejana y como distanciadora, la cuarta noche vino a beber al bar y llevó su vaso a la veranda donde los veteranos de tres días la recibieron con informaciones y consejos, había erizos peligrosos en la zona norte, de ninguna manera debía pasear en piragua sin sombrero y algo para cubrirse los hombros, el pobre inglés lo estaba pagando caro y los negros se olvidaban de prevenir a los turistas porque para ellos, claro, y Anna agradeciendo sin énfasis, bebiendo despacio su martini, casi mostrando que había venido para estar sola desde algún Copenhague o Estocolmo necesitado de olvido. Sin siquiera pensarlo Vera decidió que Mauricio y Anna, seguramente Mauricio y Anna antes de veinticuatro horas, estaba jugando al ping-pong con Sandro cuando los vio irse al mar y tenderse en la arena, Sandro bromeaba sobre Anna que le parecía poco comunicativa, las nieblas nórdicas, ganaba fácilmente las partidas pero el caballero italiano cedía de cuando en cuando algunos puntos y Vera se daba cuenta y se lo agradecía en silencio, veintiuno a dieciocho, no había estado tan mal, hacía progresos, cuestión de aplicarse.

En algún momento antes del sueño Mauricio pensó que después de todo lo estaban pasando bien,

casi cómico decirse que Vera dormía a cien metros
de su habitación en el envidiable bungalow acariciado por las palmeras, qué suerte tuviste, nena.
Habían coincidido en una excursión a las islas
cercanas y se habían divertido mucho nadando y
jugando con los demás; Anna tenía los hombros
quemados y Vera le dio una crema infalible, usted
sabe que un médico de niños termina por saber
todo sobre las cremas, retorno vacilante del inglés
protegido por una bata celeste, de noche la radio
hablando de Yomo Kenyatta y de los problemas
tribales, alguien sabía mucho sobre los Massai y
los entretuvo a lo largo de muchos tragos con le-
yendas y leones, Karen Blixen y la autenticidad
de los amuletos de pelo de elefante, nilón puro y
así iba todo en esos países. Vera no sabía si era
miércoles o jueves, cuando Sandro la acompañó
al bungalow después de un largo paseo por la
playa donde se habían besado como esa playa y
esa luna lo requerían, ella lo dejó entrar apenas
él le apoyó una mano en el hombro, se dejó amar
toda la noche, oyó extrañas cosas, aprendió diferencias, durmió lentamente, saboreando cada minuto del largo silencio bajo un mosquitero casi
inconcebible. Para Mauricio fue la siesta, después
de un almuerzo en que sus rodillas habían encontrado los muslos de Anna, acompañarla a su piso,
murmurar un hasta luego frente a la puerta, ver
cómo Anna demoraba la mano en el pestillo, entrar con ella, perderse en un placer que sólo los

liberó por la noche, cuando ya algunos se preguntaban si no estarían enfermos y Vera sonreía inciertamente entre dos tragos, quemándose la lengua con una mezcla de Campari y ron keniano que Sandro batía en el bar para asombro de Moto y de Nikuku, esos europeos acabarían todos locos.

El código fijaba el sábado a las siete de la tarde, Vera aprovechó un encuentro sin testigos en la playa y mostró a la distancia un palmeral propicio. Se abrazaron con un viejo cariño, riéndose como chicos, acatando el artículo cuatro, buena gente. Había una blanda soledad de arena y ramas secas, cigarrillos y ese bronceado del quinto o sexto día en que los ojos se ponen a brillar como nuevos, en que hablar es una fiesta. Nos está yendo muy bien, dijo Mauricio casi en seguida, y Vera sí, claro que nos está yendo bien, se te ve en la cara y en el pelo, por qué en el pelo, porque te brilla de otra manera, es la sal, burra, puede ser pero la sal más bien apelmaza la pilosidad, la risa no los dejaba hablar, era bueno no hablar mientras se reían y se miraban, un último sol acostándose velozmente, el trópico, mirá bien y verás el rayo verde legendario, ya hice la prueba desde mi balcón y no vi nada, ah, claro, el señor tiene un balcón, sí señora un balcón pero usted goza de un bungalow para ukeleles y orgías. Resbalando sin esfuerzo, con otro cigarrillo, de verdad, es maravilloso, tiene una manera que. Así será, si vos lo decís. Y la tuya, hablá. No me gusta que digas la tuya, pa-

rece una distribución de premios. Es. Bueno, pero
no así, no Anna. Oh, qué voz tan llena de glu-
cosa, decís Anna como si le chuparas cada letra.
Cada letra no, pero. Cochino. Y vos, entonces. En
general no soy yo la que chupa, aunque. Me lo
imaginaba, esos italianos vienen todos del decame-
rón. Momento, no estamos en terapia de grupo,
Mauricio. Perdón, no son celos, con qué derecho.
Ah, *good boy*. ¿Entonces sí? Entonces sí, perfecto, lentamente interminablemente perfecto. Te
felicito, no me gustaría que te fuera menos bien
que a mí. No sé cómo te va a vos pero el artículo
cuatro manda que. De acuerdo, aunque no es fácil
convertirlo en palabras, Anna es una ola, una es-
trella de mar. ¿La roja o la violeta? Todas juntas,
un río dorado, los corales rosa. Este hombre es un
poeta escandinavo. Y usted una libertina vene-
ciana. No es de Venecia, de Verona. Da lo mismo,
siempre se piensa en Shakespeare. Tenés razón, no
se me había ocurrido. En fin, así vamos, verdad.
Así vamos, Mauricio, y todavía nos quedan cinco
días. Cinco noches, sobre todo, aprovechalas bien.
Creo que sí, me ha prometido iniciaciones que él
llama artificios para llegar a la realidad. Me los
explicarás, espero. En detalle, imaginate, y vos
me contarás de tu río de oro y los corales azules.
Corales rosa, chiquita. En fin, ya ves que no estamos perdiendo el tiempo. Eso habrá que verlo, en
todo caso no perdemos el presente y hablando de
eso no es bueno que nos quedemos mucho en el

artículo cuatro. ¿Otro remojón antes del whisky?
Del whisky, qué grosería, a mí me dan Carpano
combinado con ginebra y angostura. Oh, perdón.
No es nada, los refinamientos llevan tiempo, vamos en busca del rayo verde, en una de esas quién
te dice.

Viernes, día de Robinson, alguien lo recordó
entre dos tragos y se habló un rato de islas y nau-
fragios, hubo un breve y violento chubasco caliente que plateó las palmeras y trajo más tarde
un nuevo rumor de pájaros, las migraciones, el
viejo marinero y su albatros, era gente que sabía
vivir, cada whisky venía con su ración de folklore,
de viejas canciones de las Hébridas o de Guadalu-
pe, al término del día Vera y Mauricio pensaron
lo mismo, el hotel merecía su nombre, era la hora
de los vientos alisios para ellos, Anna la dadora de
vértigos olvidados, Sandro el hacedor de máquinas
sutiles, vientos alisios devolviéndolos a otros tiempos sin costumbres, cuando habían tenido también
un tiempo así, invenciones y deslumbramientos
en el mar de las sábanas, solamente que ahora, solamente que ya no ahora y por eso, por eso los alisios
que soplarían aún hasta el martes, exactamente
hasta el final del interregno que era otra vez el
pasado remoto, un viaje instantáneo a las fuentes
aflorando otra vez, bañándolos de una delicia presente pero ya sabida, alguna vez sabida antes de
los códigos, de *Blues in Thirds*.

No hablaron de eso a la hora de encontrarse en

el Boeing de Nairobi, mientras encendían juntos
el primer cigarrillo del retorno. Mirarse como
antes los llenaba de algo para lo que no había palabras y que los dos callaron entre tragos y anéc-
dotas del *Trade Winds*, de alguna manera había
que guardar el *Trade Winds*, los alisios tenían que
seguir empujándolos, la buena vieja querida na-
vegación a vela volviendo para destruir las hélices,
para acabar con el sucio lento petróleo de cada
día contaminando las copas de champaña del cumpleaños, la esperanza de cada noche. Vientos alisios de Anna y de Sandro, seguir bebiéndolos en
plena cara mientras se miraban entre dos bocanadas
de humo, por qué Mauricio ahora si Sandro seguía
siempre ahí, su piel y su pelo y su voz afinando
la cara de Mauricio como la ronca risa de Anna
en pleno amor anegaba esa sonrisa que en Vera valía amablemente como una ausencia. No había
artículo seis pero podían inventarlo sin palabras,
era tan natural que en algún momento él invitara a Anna a beber otro whisky que ella, acep-
tándolo con una caricia en la mejilla, dijera que
sí, dijera sí, Sandro, sería tan bueno tomarnos otro
whisky para quitarnos el miedo de la altura, jugar
así todo el viaje, ya no había necesidad de códigos
para decidir que Sandro se ofrecería en el aeró-
dromo para acompañar a Anna hasta su casa, que
Anna aceptaría con el simple acatamiento de los
deberes caballerescos, que una vez en la casa fuera
ella quien buscara las llaves en el bolso e invitara

a Sandro a tomar otro trago, le hiciera dejar la
maleta en el zaguán y le mostrara el camino del
salón, disculpándose por las huellas de polvo y el
aire encerrado, corriendo las cortinas y trayendo
hielo mientras Sandro examinaba con aire apre-
ciativo las pilas de discos y el grabado de Friedlan-
der. Eran más de las once de la noche, bebieron
las copas de la amistad y Anna trajo una lata de
paté y bizcochos, Sandro la ayudó a hacer canapés
y no llegaron a probarlos, las manos y las bocas se
buscaban, volcarse en la cama y desnudarse ya
enlazados, buscarse entre cintas y trapos, arran-
carse las últimas ropas y abrir la cama, bajar las
luces y tomarse lentamente, buscando y murmurando, sobre todo esperando y murmurándose la
esperanza.

Vaya a saber cuándo volvieron los tragos y los
cigarrillos, las almohadas para sentarse en la cama
y fumar bajo la luz de la lámpara en el suelo. Casi
no se miraban, las palabras iban hasta la pared y
volvían en un lento juego de pelota para ciegos,
y ella la primera preguntándose como a sí misma
qué sería de Vera y de Mauricio después del *Trade
Winds*, qué sería de ellos después del regreso.

—Ya se habrán dado cuenta —dijo él—. Ya
habrán comprendido y después de eso no podrán
hacer más nada.

—Siempre se puede hacer algo —dijo ella—,
Vera no se va a quedar así, bastaba con verla.

—Mauricio tampoco —dijo él—, lo conocí

apenas pero era tan evidente. Ninguno de los dos se va a quedar así y casi es fácil imaginar lo que van a hacer.

—Sí, es fácil, es como verlo desde aquí.

—No habrán dormido, igual que nosotros, y ahora estarán hablándose despacio, sin mirarse. Ya no tendrán nada que decirse, creo que será Mauricio el que abra el cajón y saque el frasco azul. Así, ves, un frasco azul como éste.

—Vera las contará y las dividirá —dijo ella—. Le tocaban siempre las cosas prácticas, lo hará muy bien. Dieciséis para cada uno, ni siquiera el problema de un número impar.

—Las tragarán de a dos, con whisky y al mismo tiempo, sin adelantarse.

—Serán un poco amargas —dijo ella.

—Mauricio dirá que no, más bien ácidas.

—Sí, puede que sean ácidas. Y después apagarán la luz, no se sabe por qué.

—Nunca se sabe por qué, pero es verdad que apagarán la luz y se abrazarán. Eso es seguro, sé que se abrazarán.

—En la oscuridad —dijo ella buscando el interruptor—. Así, verdad.

—Así —dijo él.

SEGUNDA VEZ

Nomás que los esperábamos, cada uno tenía su fecha y su hora, pero eso sí sin apuro, fumando despacio, de cuando en cuando el negro López venía con café y entonces dejábamos de trabajar y comentábamos las novedades, casi siempre lo mismo, la visita del jefe, los cambios de arriba, las performances en San Isidro. Ellos, claro, no podían saber que los estábamos esperando, lo que se dice esperando, esas cosas tenían que pasar sin escombro, ustedes procedan tranquilos, palabras del jefe, cada tanto lo repetía por las dudas, ustedes la van piano piano, total era fácil, si algo patinaba no se la iban a tomar con nosotros, los responsables estaban arriba y el jefe era de ley, ustedes tranquilos, muchachos, si hay lío aquí la cara la doy yo, lo único que les pido es que no se me vayan a equivocar de sujeto, primero la averiguación para no meter la pata y después pueden proceder nomás.

Francamente no daban trabajo, el jefe había elegido oficinas funcionales para que no se amontonaran, y nosotros los recibíamos de a uno como corresponde, con todo el tiempo necesario. Para educados nosotros, che, el jefe lo decía vuelta a vuelta y era cierto, todo sincronizado que reíte de las IBM, aquí se trabajaba con vaselina, minga de apuro ni de córranse adelante. Teníamos tiempo para los cafecitos y los pronósticos del domingo, y el jefe era el primero en venir a buscar las fijas que para eso el flaco Bianchetti era propiamente un oráculo. Así que todos los días lo mismo, llegábamos con los diarios, el negro López traía el primer café y al rato empezaban a caer para el trámite. La convocatoria decía eso, trámite que le concierne, nosotros solamente ahí esperando. Ahora que eso sí, aunque venga en papel amarillo una convocatoria siempre tiene un aire serio; por eso María Elena la había mirado muchas veces en su casa, el sello verde rodeando la firma ilegible y las indicaciones de fecha y lugar. En el ómnibus volvió a sacarla de la cartera y le dio cuerda al reloj para más seguridad. La citaban a una oficina de la calle Maza, era raro que ahí hubiera un ministerio pero su hermana había dicho que estaban instalando oficinas en cualquier parte porque los ministerios ya resultaban chicos, y apenas se bajó del ómnibus vio que debía ser cierto, el barrio era cualquier cosa, con casas de tres o cuatro pisos y sobre todo mucho comercio al por menor, hasta algunos árboles de los pocos que iban quedando en la zona.

"Por lo menos tendrá una bandera", pensó María Elena al acercarse a la cuadra del setecientos,

a lo mejor era como las embajadas que estaban en
los barrios residenciales pero se distinguían desde
lejos por el trapo de colores en algún balcón. Aunque el número figuraba clarito en la convocatoria,
la sorprendió no ver la bandera patria y por un
momento se quedó en la esquina (era demasiado
temprano, podía hacer tiempo) y sin ninguna
razón le preguntó al del quiosco de diarios si en
esa cuadra estaba la Dirección.

—Claro que está —dijo el hombre—, ahí a la
mitad de cuadra, pero antes por qué no se queda
un poquito para hacerme compañía, mire lo solo
que estoy.

—A la vuelta —le sonrió María Elena yéndose
sin apuro y consultando una vez más el papel
amarillo. Casi no había tráfico ni gente, un gato
delante de un almacén y una gorda con una nena
que salían de un zaguán. Los pocos autos estaban
estacionados a la altura de la Dirección, casi todos
con alguien en el volante leyendo el diario o fumando. La entrada era angosta como todas en la
cuadra, con un zaguán de mayólicas y la escalera
al fondo; la chapa en la puerta parecía apenas la
de un médico o un dentista, sucia y con un papel
pegado en la parte de abajo para tapar alguna de
las inscripciones. Era raro que no hubiese ascensor,
un tercer piso y tener que subir a pie después de
ese papel tan serio con el sello verde y la firma
y todo.

La puerta del tercero estaba cerrada y no se veía

ni timbre ni chapa. María Elena tanteó el pica-
porte y la puerta se abrió sin ruido; el humo del
tabaco le llegó antes que las mayólicas verdosas
del pasillo y los bancos a los dos lados con la gente
sentada. No eran muchos pero con ese humo y el
pasillo tan angosto parecía que se tocaban con las
rodillas, las dos señoras ancianas, el señor calvo y
el muchacho de la corbata verde. Seguro que habían estado hablando para matar el tiempo, justo
al abrir la puerta María Elena alcanzó un final de
frase de una de las señoras, pero como siempre se
quedaron callados de golpe mirando a la que llegaba último, y también como siempre y sintién-
dose tan sonsa María Elena se puso colorada y
apenas si le salió la voz para decir buenos días y
quedarse parada al lado de la puerta hasta que el
muchacho le hizo una seña mostrándole el banco
vacío a su lado. Justo cuando se sentaba, dándole
las gracias, la puerta del otro extremo del pasillo
se entornó para dejar salir a un hombre de pelo colorado que se abrió paso entre las rodillas de los
otros sin molestarse en pedir permiso. El empleado
mantuvo la puerta abierta con un pie, esperando
hasta que una de las dos señoras se enderezó difi-
cultosamente y disculpándose pasó entre María
Elena y el señor calvo; la puerta de salida y la de
la oficina se cerraron casi al mismo tiempo, y los
que quedaban empezaron de nuevo a charlar, es-
tirándose un poco en los bancos que crujían.

Cada uno tenía su tema, como siempre, el señor

calvo la lentitud de los trámites, si esto es así la
primera vez qué se puede esperar, dígame un
poco, más de media hora para total qué, a lo mejor
cuatro preguntas y chau, por lo menos supongo.

—No se crea —dijo el muchacho de la corbata
verde—, yo es la segunda vez y le aseguro que no
es tan corto, entre que copian todo a máquina y
por ahí uno no se acuerda bien de una fecha, esas
cosas, al final dura bastante.

El señor calvo y la señora anciana lo escuchaban
interesados porque para ellos era evidentemente la
primera vez, lo mismo que María Elena aunque
no se sentía con derecho a entrar en la conversa-
ción. El señor calvo quería saber cuánto tiempo
pasaba entre la primera y la segunda convocatoria,
y el muchacho explicó que en su caso había sido
cosa de tres días. ¿Pero por qué dos convocatorias?,
quiso preguntar María Elena, y otra vez sintió que
le subían los colores a la cara y esperó que alguien
le hablara y le diera confianza, la dejara formar
parte, no ser ya más la última. La señora anciana
había sacado un frasquito como de sales y lo olía
suspirando. Capaz que tanto humo la estaba des-
componiendo, el muchacho se ofreció a apagar el
cigarrillo y el señor calvo dijo que claro, que ese
pasillo era una vergüenza, mejor apagaban los cigarrillos si se sentía mal, pero la señora dijo que
no, un poco de fatiga solamente que se le pasaba
en seguida, en su casa el marido y los hijos fuma-
ban todo el tiempo, ya casi no me doy cuenta.

María Elena que también había tenido ganas de sacar un cigarrillo vio que los hombres apagaban los suyos, que el muchacho lo aplastaba contra la suela del zapato, siempre se fuma demasiado cuando se tiene que esperar, la otra vez había sido peor porque había siete u ocho personas antes, y al final ya no se veía nada en el pasillo con tanto humo.

—La vida es una sala de espera —dijo el señor calvo, pisando el cigarrillo con mucho cuidado y mirándose las manos como si ya no supiera qué hacer con ellas, y la señora anciana suspiró un asentimiento de muchos años y guardó el frasquito justo cuando se abría la puerta del fondo y la otra señora salía con ese aire que todos le envidiaron, el buenos días casi compasivo al llegar a la puerta de salida. Pero entonces no se tardaba tanto, pensó María Elena; tres personas antes que ella, pongamos tres cuartos de hora, claro que en una de esas el trámite se hacía más largo con algunos, el muchacho ya había estado una primera vez y lo había dicho. Pero cuando el señor calvo entró en la oficina, María Elena se animó a preguntar para estar más segura, y el muchacho se quedó pensando y después dijo que la primera vez algunos habían tardado mucho y otros menos, nunca se podía saber. La señora anciana hizo notar que la otra señora había salido casi en seguida, pero el señor de pelo colorado había tardado una eternidad.

—Menos mal que quedamos pocos —dijo María

Elena—, estos lugares deprimen.

—Hay que tomarlo con filosofía —dijo el muchacho—, no se olvide que va a tener que volver, así que mejor quedarse tranquila. Cuando yo vine la primera vez no había nadie con quién hablar, éramos un montón pero no sé, no se congeniaba, y en cambio hoy desde que llegué el tiempo va pasando bien porque se cambian ideas.

A María Elena le gustaba seguir charlando con el muchacho y la señora, casi no sintió pasar el tiempo hasta que el señor calvo salió y la señora se levantó con una rapidez que no le habrían sospechado a sus años, la pobre quería acabar rápido con los trámites.

—Bueno, ahora nosotros —dijo el muchacho—. ¿No le molesta si fumo un pitillo? No aguanto más, pero la señora parecía tan descompuesta...

—Yo también tengo ganas de fumar.

Aceptó el cigarrillo que él le ofrecía y se dijeron sus nombres, dónde trabajaban, les hacía bien cambiar impresiones olvidándose del pasillo, del silencio que por por momentos parecía demasiado, como si las calles y la gente hubieran quedado muy lejos. María Elena también había vivido en Floresta pero de chica, ahora vivía por Constitución. A Carlos no le gustaba ese barrio, prefería el oeste, mejor aire, los árboles. Su ideal hubiera sido vivir en Villa del Parque, cuando se casara a lo mejor alquilaba un departamento por ese lado, su futuro suegro le había prometido ayudarlo, era un señor

con muchas relaciones y en una de esas conseguía
algo.

—Yo no sé por qué, pero algo me dice que voy
a vivir toda mi vida por Constitución —dijo María Elena—. No está tan mal, después de todo.
Y si alguna vez...

Vio abrirse la puerta del fondo y miró casi sorprendida al muchacho que le sonreía al levantarse,
ya ve cómo pasó el tiempo charlando, la señora
los saludaba amablemente, parecía tan contenta
de irse, todo el mundo tenía un aire más joven y
más ágil al salir, como un peso que les hubieran
quitado de encima, el trámite acabado, una dili-
gencia menos y afuera la calle, los cafés donde a lo
mejor entrarían a tomarse una copita o un té
para sentirse realmente del otro lado de la sala
de espera y los formularios. Ahora el tiempo se le
iba a hacer más largo a María Elena sola, aunque
si todo seguía así Carlos saldría bastante pronto,
pero en una de esas tardaba más que los otros porque era la segunda vez y vaya a saber qué trámite
tendría..

Casi no comprendió al principio cuando vio
abrirse la puerta y el empleado la miró y le hizo
un gesto con la cabeza para que pasara. Pensó que
entonces era así, que Carlos tendría que quedarse
todavía un rato llenando papeles y que entre tanto
se ocuparían de ella. Saludó al empleado y entró
en la oficina; apenas había pasado la puerta cuando
otro empleado le mostró una silla delante de un

escritorio negro. Había varios empleados en la oficina, solamente hombres, pero no vio a Carlos.
Del otro lado del escritorio un empleado de cara
enfermiza miraba una planilla; sin levantar los
ojos tendió la mano y María Elena tardó en comprender que le estaba pidiendo la convocatoria, de
golpe se dio cuenta y la buscó un poco perdida,
murmurando excusas, sacó dos o tres cosas de la
cartera hasta encontrar el papel amarillo.

—Vaya llenando esto —dijo el empleado alcan-
zándole un formulario—. Con mayúsculas, bien
clarito.

Eran las pavadas de siempre, nombre y apellido,
edad, sexo, domicilio. Entre dos palabras María
Elena sintió como que algo le molestaba, algo que
no estaba del todo claro. No en la planilla, donde
era fácil ir llenando los huecos; algo afuera, algo
que faltaba o que no estaba en su sitio. Dejó de
escribir y echó una mirada alrededor, las otras
mesas con los empleados trabajando o hablando
entre ellos, las paredes sucias con carteles y fotos,
las dos ventanas, la puerta por donde había entrado, la única puerta de la oficina. *Profesión*, y
al lado la línea punteada; automáticamente relle-
nó el hueco. La única puerta de la oficina, pero
Carlos no estaba ahí. *Antigüedad en el empleo*.
Con mayúsculas, bien clarito.

Cuando firmó al pie, el empleado la estaba mirando como si hubiera tardado demasiado en llenar
la planilla. Estudió un momento el papel, no le

encontró defectos y lo guardó en una carpeta. El resto fueron preguntas, algunas inútiles porque ella ya las había contestado en la planilla, pero también sobre la familia, los cambios de domicilio en los últimos años, los seguros, si viajaba con frecuencia y adónde, si había sacado pasaporte o pensaba sacarlo. Nadie parecía preocuparse mucho por las respuestas, y en todo caso el empleado no las anotaba. Bruscamente le dijo a María Elena que podía irse y que volviera tres días después a las once; no hacía falta convocatoria por escrito, pero que no se le fuera a olvidar.

—Sí, señor —dijo María Elena levantándose—, entonces el jueves a las once.

—Que le vaya bien —dijo el empleado sin mirarla.

En el pasillo no había nadie, y recorrerlo fue como para todos los otros, un apurarse, un respirar liviano, unas ganas de llegar a la calle y dejar lo otro atrás. María Elena abrió la puerta de salida y al empezar a bajar la escalera pensó de nuevo en Carlos, era raro que Carlos no hubiera salido como los otros. Era raro porque la oficina tenía solamente una puerta, claro que en una de esas no había mirado bien porque eso no podía ser, el empleado había abierto la puerta para que ella entrara y Carlos no se había cruzado con ella, no había salido primero como todos los otros, el hombre del pelo colorado, las señoras, todos menos Carlos.

El sol se estrellaba contra la vereda, era el ruido
y el aire de la calle; María Elena caminó unos pasos y se quedó parada al lado de un árbol, en un
sitio donde no había autos estacionados. Miró hacia
la puerta de la casa, se dijo que iba a esperar un
momento para ver salir a Carlos. No podía ser que
Carlos no saliera, todos habían salido al terminar
el trámite. Pensó que a lo mejor él tardaba porque
era el único que había venido por segunda vez;
vaya a saber, a lo mejor era eso. Parecía tan raro
no haberlo visto en la oficina, aunque a lo mejor
había una puerta disimulada por los carteles, algo
que se le había escapado, pero lo mismo era raro
porque todo el mundo había salido por el pasillo
como ella, todos los que habían venido por primera vez habían salido por el pasillo.

Antes de irse (había esperado un rato, pero ya
no podía seguir así) pensó que el jueves tendría
que volver. Capaz que entonces las cosas cambia-
ban y que la hacían salir por otro lado aunque no
supiera por dónde ni por qué. Ella no, claro, pero
nosotros sí lo sabíamos, nosotros la estaríamos esperando a ella y a los otros, fumando despacito y
charlando mientras el negro López preparaba otro
de los tantos cafés de la mañana.

USTED SE TENDIÓ A TU LADO

A G. H., que me contó esto con
una gracia que no encontrará
aquí.

¿Cuándo lo había visto desnudo por última vez?
Casi no era una pregunta, usted estaba saliendo
de la cabina, ajustándose el sostén de la bikini mientras buscaba la silueta de su hijo que la esperaba
al borde del mar, y entonces eso en plena distracción, la pregunta pero una pregunta sin verdadera
voluntad de respuesta, más bien una carencia bruscamente asumida; el cuerpo infantil de Roberto
en la ducha, un masaje en la rodilla lastimada,
imágenes que no habían vuelto desde vaya a saber
cuándo, en todo caso meses y meses desde la última
vez que lo había visto desnudo; más de un año, el
tiempo para que Roberto luchara contra el rubor
cada vez que al hablar le salía un gallo, el final
de la confianza, del refugio fácil entre sus brazos
cuando algo dolía o apenaba; otro cumpleaños,
los quince, ya siete meses atrás, y entonces la llave
en la puerta del baño, las buenas noches con el
piyama puesto a solas en el dormitorio, apenas si

cediendo de tanto en tanto a una costumbre de
salto al pescuezo, de violento cariño y besos húmedos, mamá, mamá querida, Denise querida,
mamá o Denise según el humor y la hora, vos el
cachorro, vos Roberto el cachorrito de Denise,
tendido en la playa mirando las algas que dibuja-
ban el límite de la marea, levantando un poco la
cabeza para mirarla a usted que venía desde las
cabinas, apretando el cigarrillo entre los labios como una afirmación mientras la mirabas.

Usted se tendió a tu lado y vos te enderezaste
para buscar el paquete de cigarrillos y el encendedor.

—No, gracias, todavía no —dijo usted sacando
los anteojos de sol del bolso que le habías cuidado
mientras Denise se cambiaba.

—¿Querés que te vaya a buscar un whisky?
—le preguntaste.

—Mejor después de nadar. ¿Vamos ya?

—Sí, claro —dijiste.

—Te da igual, ¿verdad? A vos todo te da igual
en estos días, Roberto.

—No seas pajarona, Denise.

—No es un reproche, comprendo que estés distraído.

—Ufa —dijiste, desviando la cara.

—¿Por qué no vino a la playa?

—¿Quién, Lilian? Qué sé yo, anoche no se sentía bien, me lo dijo.

—Tampoco veo a los padres —dijo usted barriendo el horizonte con una lenta mirada un poco miope—. Habrá que averiguar en el hotel si hay alguien enfermo.

—Yo voy después —dijiste hosco, cortando el tema.

Usted se levantó y la seguiste a unos pasos, esperaste que se tirara al agua para entrar lentamente, nadar lejos de ella que levantó los brazos y te hizo un saludo, entonces soltaste el estilo mariposa y cuando fingiste chocar contra ella usted lo abrazó riendo, manoteándolo, siempre el mismo mocoso bruto, hasta en el mar me pisás los pies. Jugando, escabulléndose, terminaron por nadar con lentas brazadas mar afuera; en la playa empequeñecida la silueta repentina de Lilian era una pulguita roja un poco perdida.

—Que se embrome —dijiste antes de que usted alzara un brazo llamándola—, si llega tarde peor para ella, nosotros seguimos aquí, el agua está rebuena.

—Anoche la llevaste a caminar hasta el farallón y volviste tarde. ¿No se enojó Úrsula con Lilian?

—¿Por qué se va a enojar? No era tan tarde, che, Lilian no es una nena.

—Para vos, no para Úrsula que todavía la ve con un babero, y no hablemos de José Luis porque ése no se convencerá nunca de que la nenita tiene sus reglas en la fecha justa.

—Oh, vos con tus groserías —dijiste halagado

y confuso—. Te corro hasta el espigón, Denise, te
doy cinco metros.

—Quedémonos aquí, ya le correrás a Lilian que
seguro te gana. ¿Te acostaste con ella anoche?

—¿Qué? ¿Pero vos...?

—Tragaste agua, tontolín —dijo usted agarrán-
dolo por la barbilla y jugando a echarlo de espaldas—. Hubiera sido lógico, ¿no? Te la llevaste de
noche por la playa, volvieron tarde, ahora Lilian
aparece a última hora, cuidado, burro, otra vez
me diste en un tobillo, ni mar afuera se está seguro
con vos.

Volcándote en una plancha que usted imitó sin
apuro, te quedaste callado, como esperando, pero
usted esperaba también y el sol les ardía en los ojos.

—Yo quise, mamá —dijiste—, pero ella no,
ella...

—¿Quisiste de veras, o solamente de palabra?

—Ella me parece que también quería, estábamos cerca del farallón y ahí era fácil porque yo
conozco una gruta que... Pero después no quiso,
se asustó... ¿Qué vas a hacer?

Usted pensó que quince años y medio eran muy
pocos años, le atrapó la cabeza y lo besó en el pelo,
mientras vos protestabas riendo y ahora sí, ahora
realmente esperabas que Denise te siguiera hablando de eso, que increíblemente fuera ella la que
te estaba hablando de eso.

—Si te pareció que Lilian quería, lo que no
hicieron anoche lo harán hoy o mañana. Ustedes

dos son un par de chiquilines y no se quieren de veras, pero eso no tiene nada que ver, por supuesto.

—Yo la quiero, mamá, y ella también, estoy seguro.

—Un par de chiquilines —repitió usted—, y precisamente por eso te estoy hablando, porque si te acostás con Lilian esta noche o mañana es seguro que van a hacer las cosas como chambones que son.

La miraste entre dos olas blanditas, usted casi se le rió en la cara porque era evidente que Roberto no entendía, que ahora estabas como escandalizado, casi temiendo que Denise pretendiera explicarte el abecé, madre mía, nada menos que eso.

—Quiero decir que ni vos ni ella van a tener el menor cuidado, bobeta, y que el resultado de este final de veraneo es que en una de esas Úrsula y José Luis se van a encontrar con la nena embarazada. ¿Entendés ahora?

No dijiste nada pero claro que entendiste, lo habías estado entendiendo desde los primeros besos con Lilian, te habías hecho la pregunta y después habías pensado en la farmacia y punto, de eso no pasabas.

—A lo mejor me equivoco, pero por la cara de Lilian se me hace que no sabe nada de nada, salvo en teoría que viene a ser lo mismo. Me alegro por vos, si querés, pero ya que sos un poco más grande tendrías que ocuparte de eso.

Te vio meter la cara en el agua, frotártela fuerte, quedarte mirándola como quien acata con bronca. Nadando despacio de espaldas, usted esperó que te acercaras de nuevo para hablarte de eso mismo que vos habías estado pensando todo el tiempo como si estuvieras en el mostrador de la farmacia.

—No es lo ideal, ya sé, pero si ella no lo hizo nunca me parece difícil hablarle de la píldora, sin contar que aquí ...

—Yo también había pensado en eso —dijiste con tu voz más gruesa.

—¿Y entonces qué estás esperando? Los comprás y los tenés en el bolsillo, y sobre todo no perdés del todo la cabeza y los usás.

Vos te sumergiste de golpe, la empujaste de abajo hasta hacerla gritar y reír, la envolviste en un colchón de espuma y de manotazos de donde las palabras te salían a jirones, rotas por estornudos y golpes de agua, no te animabas, nunca habías comprado eso y no te animabas, no ibas a saber hacerlo, en la farmacia estaba la vieja Delcasse, no había vendedores hombres, vos te das cuenta, Denise, cómo le voy a pedir eso, no voy a poder, me da calor.

A los siete años habías llegado una tarde de la escuela con un aire avergonzado, y usted que nunca lo apuraba en esos casos había esperado hasta que a la hora de dormir te enroscaste en sus brazos, la anaconda mortal como le llamaban al juego de

abrazarse antes del sueño, y había bastado una
simple pregunta para saber que en uno de los
recreos te había empezado a picar la entrepierna
y el culito, que te habías rascado hasta sacarte
sangre y que tenías miedo y vergüenza porque
pensabas que a lo mejor era sarna, que te habías
contagiado con los caballos de don Melchor. Y usted, besándolo entre las lágrimas de miedo y confusión que te llenaban la cara, lo había tendido
boca abajo, le había separado las piernas y después
de mirarlo mucho había visto las picaduras de
chinche o de pulga, gajes de la escuela, pero si no
es sarna, pavote, solamente que te has rascado hasta
hacerte sangre. Todo tan sencillo, alcohol y po-
mada con esos dedos que acariciaban y calmaban,
sentirte del otro lado de la confesión, feliz y
confiado, claro que no es nada, tonto, dormite
y mañana por la mañana vamos a mirar de nuevo.
Tiempos en que las cosas eran así, imágenes volviendo desde un pasado tan próximo, entre dos
olas y dos risas y la brusca distancia decidida por
el cambio de la voz, la nuez de Adán, el bozo, los
ridículos ángeles expulsores del paraíso. Era para
burlarse y usted sonrió debajo del agua, tapada
por una ola como una sábana, era para burlarse
porque en el fondo no había ninguna diferencia
entre la vergüenza de confesar una picazón sospe-
chosa y la de no sentirse lo bastante crecido como
para hacerle frente a la vieja Delcasse. Cuando de
nuevo te acercaste sin mirarla, nadando como un

perrito alrededor de su cuerpo flotando boca arriba, usted ya sabía lo que estabas esperando entre
ansioso y humillado, como antes cuando tenías que
entregarte a sus ojos y a sus manos que te harían
las cosas necesarias y era vergonzoso y dulce, era
Denise sacándote una vez más de un dolor de ba-
rriga o de un calambre en la pantorrilla.

—Si es así iré yo misma —dijo usted—. Parece
mentira que puedas ser tan tilingo, mijito.

—¿Vos? ¿Vos vas a ir?

—Claro, yo, la mamá del nene. No la vas a man-
dar a Lilian, supongo.

—Denise, carajo...

—Tengo frío —dijo usted casi duramente—,
ahora sí te acepto el whisky y antes te corro hasta
el espigón. Sin ventaja, lo mismo te voy a ganar.

Era como levantar despacio un papel carbónico
y ver debajo la copia exacta del día precedente, el
almuerzo con los padres de Lilian y el señor Guzzi
experto en caracoles, la siesta larga y caliente, el té
con vos que no te hacías ver demasiado pero a esa
hora era el ritual, las tostadas en la terraza, la noche
poco a poco, a usted le daba casi lástima verte
tan con la cola entre las piernas, pero tampoco
quería quebrar el ritual, ese encuentro vespertino
en cualquier lugar donde estuvieran, el té antes de
irse a sus cosas. Era obvio y patético que no su-
pieras defenderte, pobre Roberto, que estuvieras
perrito pasando la manteca y la miel, buscándote

la cola perrito torbellino tragando tostadas entre frases también tragadas a medias, de nuevo té, de nuevo cigarrillo.

Raqueta de tenis, mejillas tomate, bronce por todos lados, Lilian buscándote para ir a ver esa película antes de la cena. Usted se alegró cuando se fueron, vos estabas realmente perdido y no encontrabas tu rincón, había que dejarte salir a flote del lado de Lilian, lanzados a ese para usted casi incomprensible intercambio de monosílabos, risotadas y empujones de la nueva ola que ninguna gramática pondría en claro y que era la vida misma riéndose una vez más de la gramática. Usted se sentía bien así sola, pero de golpe algo como tristeza, ese silencio civilizado, esa película que solamente ellos iban a ver. Se puso unos pantalones y una blusa que siempre le hacía bien ponerse, y bajó por el malecón parándose en las tiendas y en el quiosco, comprando una revista y cigarrillos. La farmacia del pueblo tenía un anuncio de neón que recordaba a una pagoda tartamuda, y debajo de esa increíble cofia verde y roja el saloncito con olor a yerbas medicinales, la vieja Delcasse y la empleada jovencita, la que de verdad te daba miedo aunque solamente hubieras hablado de la vieja Delcasse. Había dos clientes arrugados y charlatanes que necesitaban aspirinas y pastillas para el estómago, que pagaban sin irse del todo, mirando las vitrinas y haciendo durar un minuto un poco menos aburrido que los otros en sus casas. Usted

les dio la espalda sabiendo que el local era tan
chico que nadie perdería palabra, y después de
coincidir con la vieja Delcasse en que el tiempo
era una maravilla, le pidió un frasco de alcohol
como quien concede un último plazo a los dos
clientes que ya no tenían nada que hacer ahí, y
cuando llegó el frasco y los viejos seguían contem-
plando las vitrinas con alimentos para niños, usted
bajó lo más posible la voz, necesito algo para mi
hijo que él no se anima a comprar, sí, exactamente, no sé si vienen en cajas pero en todo caso déme
unos cuantos, ya después él se arreglará por su
cuenta. Cómico, ¿verdad?

Ahora que lo había dicho, usted misma podía
contestar que sí, que era cómico y casi soltar la
risa en la cara de la vieja Delcasse, su voz de loro
seco explicando desde el diploma amarillo entre
las vitrinas, vienen en sobrecitos individuales y
también en cajas de doce y veinticuatro. Uno de
los clientes se había quedado mirando como si no
creyera y el otro, una vieja metida en una miopía
y una pollera hasta el suelo, retrocedía paso a paso
diciendo buenas noches, buenas noches, y la de-
pendiente más joven divertidísima, buenas noches
señora de Pardo, la vieja Delcasse tragando por fin
saliva y antes de darse vuelta murmurando en fin,
es violento para usted, por qué no me dijo de pasar
a la trastienda, y usted imaginándote a vos en la
misma situación y teniéndote lástima porque seguro no te habrías animado a pedirle a la vieja

Delcasse que te llevara a la trastienda, un hombre
y esas cosas. No, dijo o pensó (nunca lo supo bien
y daba igual), no veo por qué tenía que hacer un
secreto o un drama por una caja de preservativos,
si se la hubiera pedido en la trastienda me hubiera
traicionado, hubiera sido tu cómplice, acaso dentro
de unas semanas hubiera tenido que repetirlo y
eso no, Roberto, una vez está bien, ahora cada
uno por su lado, realmente no volveré a verte nunca más desnudo, mijito, esta vez ha sido la última,
sí, la caja de doce, señora.

—Usted los dejó completamente helados —dijo
la empleada joven que se moría de risa pensando
en los clientes.

—Me di cuenta —dijo usted sacando dinero—,
no son cosas de hacer, realmente.

Antes de vestirse para la cena dejó el paquete
sobre tu cama, y cuando volviste del cine corriendo porque se hacía tarde viste el bulto blanco contra la almohada y te pusiste de todos colores y lo
abriste, entonces Denise, mamá, dejame entrar,
mamá, encontré lo que vos. Escotada, muy joven
en su traje blanco, te recibió mirándote desde el
espejo, desde algo lejano y diferente.

—Sí, y ahora arreglate solo, nene, más no puedo
hacer por ustedes.

Estaba convenido desde hacía mucho que no
te llamaría nunca más nene, comprendiste que se
cobraba, que te hacía devolver la plata. No supiste

en qué pie pararte, fuiste hasta la ventana, después te acercaste a Denise y la sujetaste por los hombros, te pegaste a su espalda besándola en el cuello, muchas veces y húmedo y nene, mientras usted terminaba de arreglarse el pelo y buscaba el perfume. Cuando sintió el calor de la lágrima en la piel, giró en redondo y te empujó blandamente hacia atrás, riendo sin que se oyera su voz, una lenta risa de cine mudo.

—Se va a hacer tarde, bobo, ya sabés que a Úrsula no le gusta esperar en la mesa. ¿Era buena la película?

Rechazar la idea aunque cada vez más difícil en la duermevela, medianoche y un mosquito aliado al súcubo para no dejarla resbalar al sueño. Encendiendo el velador, bebió un largo trago de agua, volvió a tenderse de espaldas; el calor era insoportable pero en la gruta haría fresco, casi al borde del sueño usted la imaginaba con su arena blanca, ahora de veras súcubo inclinado sobre Lilian boca arriba con los ojos muy abiertos y húmedos mientras vos le besabas los senos y balbuceabas palabras sin sentido, pero naturalmente no habías sido capaz de hacer bien las cosas y cuando te dieras cuenta sería tarde, el súcubo hubiera querido intervenir sin molestarlos, simplemente ayudar a que no hicieran la bobada, una vez más la vieja costumbre, conocer tan bien tu cuerpo boca abajo que buscaba acceso entre quejas y besos, volver a mirarte de cerca los muslos y la espalda, repetir las fórmulas frente a los porrazos o la gripe, aflojá el cuerpo, no te va a hacer daño, un chico grande no llora por una inyección de nada, vamos. Y otra vez el velador, el agua, seguir leyendo la revista estúpida, ya se dormiría más tarde, después que vos volvieras en puntas de pie y usted te oyera en el baño, el elástico crujiendo apenas, el murmullo de alguien que habla en sueños o que se habla buscando dormirse.

El agua estaba más fría pero a usted le gustó su chicotazo amargo, nadó hasta el espigón sin detenerse, desde allá vio a los que chapoteaban en la orilla, a vos que fumabas al sol sin muchas ganas de tirarte. Descansó en la planchada, y ya de vuelta se cruzó con Lilian que nadaba despacio, concentrada en el estilo, y que le dijo el "hola" que parecía su máxima concesión a los grandes. Vos en cambio te levantaste de un salto y envolviste a Denise en la toalla, le hiciste un lugar del buen lado del viento.

—No te va a gustar, está helada.

—Me lo imaginé, tenés piel de gallina. Esperá, este encendedor no anda, tengo otro aquí. ¿Te traigo un nescafé calentito?

Boca abajo, las abejas del sol empezando a zumbar sobre la piel, el guante sedoso de la arena, una especie de interregno. Vos trajiste el café y le preguntaste si siempre volvían el domingo o si prefería quedarse más. No, para qué, ya empezaba a refrescar.

—Mejor —dijiste, mirando lejos—. Volvemos y se acabó, la playa está bien quince días, después te secás.

Esperaste, claro, pero no fue así, solamente su mano vino a acariciarte el pelo, apenas.

—Decime algo, Denise, no te quedés así, me . . .

—Sh, si alguien tiene algo que decir sos vos, no me conviertas en la madre araña.

—No, mamá, es que . . .

—No tenemos más nada que decirnos, sabés que lo hice por Lilian y no por vos. Ya que te sentís un hombre aprendé a manejarte solo ahora. Si al nene le duele la garganta ya sabe dónde están las pastillas.

La mano que te había acariciado el pelo resbaló por tu hombro y cayó en la arena. Usted había marcado duramente cada palabra pero la mano había sido la invariable mano de Denise, la paloma que ahuyentaba los dolores, dispensadora de cosquillas y caricias entre algodones y agua oxigenada. También eso tenía que cesar antes o después, lo supiste como un golpe sordo, el filo del límite tenía que caer en una noche o una mañana cualquiera. Vos habías hecho los primeros gestos de la distancia, encerrarte en el baño, cambiarte a solas, perderte largas horas en la calle, pero era usted quien haría caer el filo del límite en un momento que acaso era ahora, esa última caricia en tu es-

palda. Si al nene le dolía la garganta ya sabía donde estaban las pastillas.

—No te preocupes, Denise —dijiste oscura-
mente, la boca tapada a medias por la arena—, no
te preocupes por Lilian. No quiso, sabés, al final
no quiso. Es sonsa esa chica, qué querés.

Usted se enderezó, llenándose los ojos de arena
con su brusca sacudida. Viste entre lágrimas que
le temblaba la boca.

—Te he dicho que basta, ¿me oís? ¡Basta, basta!

—Mamá . . .

Pero te volvió la espalda y se tapó la cara con
el sombrero de paja. El íncubo, el insomnio, la
vieja Delcasse, era para reírse. El filo del límite,
¿qué filo, qué límite? Todavía era posible que uno
de esos días la puerta del baño no estuviera cerrada con llave y que usted entrara y te sorprendiera
desnudo y enjabonado y de golpe confuso. O al
revés, que vos te quedaras mirándola desde la
puerta cuando usted saliera de la ducha, como
tantos años se habían mirado y jugado mientras
se secaban y se vestían. ¿Cuál era el límite, cuál
era realmente el límite?

—Hola —dijo Lilian, sentándose entre los dos.

EN NOMBRE DE BOBY

Ayer cumplió los ocho años, le hicimos una linda fiesta y Boby estuvo contento con el tren a cuerda, la pelota de fútbol y la torta con velitas. Mi hermana había tenido miedo de que justamente en esos días viniera con malas notas de la escuela pero fue al revés, mejoró en aritmética y en lectura y no había motivo para suprimirle los juguetes, al contrario. Le dijimos que invitara a sus amigos y trajo al Beto y a Juanita; también vino Mario Panzani pero se quedó poco porque el padre estaba enfermo. Mi hermana los dejó jugar en el patio hasta la noche y Boby estrenó la pelota, aunque las dos teníamos miedo de que nos rompieran las plantas con el entusiasmo. Cuando fue la hora de la naranjada y la torta con velitas le cantamos a coro el "apio verde" y nos reímos mucho porque todo el mundo estaba contento, sobre todo Boby y mi hermana; yo, claro, no dejé de vigilar a Boby y eso que me parecía estar perdiendo el tiempo, vigilando qué si no había nada que vigilar; pero lo mismo vigilándolo a Boby cuando él estaba distraído, buscándole esa mirada que mi hermana no parece advertir y que me hace tanto daño.

Ese día solamente la miró así una vez, justo cuando mi hermana encendía las velitas, apenas un segundo antes de bajar los ojos y decir como el niño bien educado que es: "Muy linda la torta, mamá", y Juanita aprobó también, y Mario Panzani. Yo había puesto el cuchillo largo para que Boby cortara la torta y en ese momento sobre todo lo vigilé desde la otra punta de la mesa, pero Boby estaba tan contento con la torta que apenas la miró así a mi hermana y se concentró en la tarea de cortar las tajadas bien igualitas y repartirlas. "Vos la primera, mamá", dijo Boby dándole su tajada, y después a Juanita y a mí porque primero las damas. En seguida se fueron al patio para seguir jugando salvo Mario Panzani que tenía al padre enfermo, pero antes Boby le dijo de nuevo a mi hermana que la torta estaba muy rica, y a mí vino corriendo y me saltó al pescuezo para darme uno de sus besos húmedos. "Qué lindo el trencito, tía", y por la noche se me trepó a las rodillas para confiarme el gran secreto: "Ahora tengo ocho años, sabés, tía".

Nos acostamos bastante tarde, pero era sábado y Boby podía remolonear como nosotras hasta entrada la mañana. Yo fui la última en irme a la cama y antes me ocupé de arreglar el comedor y poner las sillas en su sitio, los chicos habían jugado al barco hundido y a otros juegos que siempre dejan la casa patas arriba. Guardé el cuchillo largo y antes de acostarme vi que mi hermana ya dormía como una bendita; fui hasta la piecita de Boby y lo miré, estaba boca abajo como le gustaba ponerse desde chiquito, ya había tirado las sábanas al suelo y tenía una pierna fuera de la cama, pero dormía tan bien con la cara enterrada en la almohada. Si yo hubiera tenido un hijo también lo habría dejado dormir así, pero para qué pensar en esas cosas. Me acosté y no quise leer, capaz que hice mal porque no me venía el sueño y me pasaba lo de siempre a esa hora en que se pierde la voluntad y las ideas saltan de todos lados y parecen ciertas, todo lo que se piensa de golpe es cierto y casi siempre horrible y no hay manera de quitárselo de encima ni rezando. Bebí agua con azúcar y esperé contando desde trescientos, de atrás para adelante que es más difícil y hace venir el sueño; justo cuando ya estaba por dormirme me entró la duda si había guardado el cuchillo o si estaba todavía en la mesa. Era sonso porque había ordenado cada cosa y me acordaba que había puesto el cuchillo en el cajón de abajo de la alacena, pero lo mismo. Me levanté y claro, estaba ahí en el cajón mezclado con los otros cubiertos de trinchar. No sé por qué tuve como ganas de guardarlo en mi dormitorio, hasta lo saqué un momento pero ya era demasiado, me miré en el espejo y me hice una morisqueta. Tampoco eso me gustó mucho a esa hora, y entonces me serví un vasito de anís aunque

era una imprudencia con mi hígado, y lo tomé de
a sorbitos en la cama para ir buscando el sueño;
de a ratos se oía roncar a mi hermana, y Boby
como siempre hablaba o se quejaba.

Justo cuando ya me dormía todo volvió de
golpe, la primera vez que Boby le había preguntado a mi hermana por qué era mala con él y mi
hermana que es una santa, eso dicen todos, se había
quedado mirándolo como si fuera una broma y
hasta se había reído, pero yo que estaba ahí pre-
parando el mate me acuerdo que Boby no se rió,
al contrario estaba como afligido y quería saber,
en esa época debía tener ya siete años y siempre
hacía preguntas raras como todos los chicos, me
acuerdo del día en que me preguntó a mí por qué
los árboles eran diferentes de nosotros y yo a mi
vez le pregunté por qué y Boby dijo: "Pero tía,
ellos se abrigan en verano y se desabrigan en
invierno", y yo me quedé con la boca abierta porque realmente, ese chico; todos son así, pero en
fin. Y ahora mi hermana lo miraba extrañada, ella
no había sido nunca mala con él, se lo dijo, solamente severa a veces cuando se portaba mal o estaba enfermo y había que hacerle cosas que no le
gustaban, también las mamás de Juanita o de Mario Panzani eran severas con sus hijos cuando hacía
falta, pero Boby la seguía mirando triste y al final
explicó que no era de día, que ella era mala de
noche cuando él estaba durmiendo, y las dos nos
quedamos de una pieza y creo que fui yo la que

empezó a explicarle que nadie tiene la culpa de lo
que pasa en los sueños, que habría sido una pesadilla y ya está, no tenía que preocuparse. Ese día
Boby no insistió, él siempre aceptaba nuestras explicaciones y no era un chico difícil, pero unos
días después amaneció llorando a gritos y cuando
yo llegué a su cama me abrazó y no quiso hablar,
solamente lloraba y lloraba, otra pesadilla seguro,
hasta que al mediodía se acordó de golpe en la mesa
y volvió a preguntarle a mi hermana por qué cuando él estaba durmiendo ella era tan mala con él.
Esta vez mi hermana lo tomó a pecho, le dijo que
ya era demasiado grande para no distinguir y que si
seguía insistiendo con eso le iba a avisar al doctor
Kaplan porque a lo mejor tenía lombrices o apen-
dicitis y había que hacerle algo. Yo sentí que Boby
se iba a poner a llorar y me apuré a explicarle de
nuevo lo de las pesadillas, tenía que darse cuenta
de que nadie lo quería tanto como su mamá, ni
siquiera yo que lo quería tanto, y Boby escuchaba
muy serio, secándose una lágrima, y dijo que claro,
que él sabía, se bajó de la silla para ir a besar a mi
hermana que no sabía qué hacer, y después se
quedó pensativo mirando al aire, y por la tarde lo
fui a buscar al patio y le pedí que me contara a
mí que era su tía, a mí podía confiarme todo como a su mamá, y si no quería decírselo a ella que
me lo dijera a mí. Se sentía que no quería hablar,
le costaba demasiado pero al final dijo algo como
que de noche todo era distinto, habló de unos tra-

pos negros, de que no podía soltar las manos ni los pies, cualquiera tiene pesadillas así pero era una lástima que Boby las tuviera justamente con mi hermana que tantos sacrificios había hecho por él, se lo dije y se lo repetí y él claro, estaba de acuerdo, claro que sí.

Justo después de eso mi hermana tuvo la pleuresía y a mí me tocó ocuparme de todo, Boby no me daba trabajo porque con lo chiquito que era se las arreglaba casi solo, me acuerdo que entraba a ver a mi hermana y se quedaba al lado de la cama sin hablar, esperando que ella le sonriera o le acariciara el pelo, y después se iba a jugar calladito al patio o a leer a la sala; ni siquiera tuve necesidad de decirle que no tocara el piano en esos días, con lo mucho que le gustaba. La primera vez que lo vi triste le expliqué que su mamá ya estaba mejor y que al otro día se levantaría un rato a tomar sol. Boby hizo un gesto raro y me miró de reojo; no sé, la idea me vino de golpe y le pregunté si de nuevo estaba con las pesadillas. Se puso a llorar muy callado, escondiendo la cara, después dijo que sí, que por qué su mamá era así con él; esa vez me di cuenta de que tenía miedo, cuando le bajé las manos para secarle la cara le vi el miedo y me costó hacerme la indiferente y explicarle de nuevo que no eran más que sueños. "A ella no le digas nada", le pedí, "fijate que todavía está débil y se va a impresionar". Boby asintió callado, tenía tanta confianza en mí, pero más tarde llegué a pensar

que lo había tomado al pie de la letra porque ni
siquiera cuando mi hermana estaba convaleciente
le habló otra vez de eso, yo se lo adivinaba algunas
mañanas cuando lo veía salir de su cuarto con esa
expresión perdida, y también porque se quedaba
todo el tiempo conmigo, rondándome en la cocina.
Una o dos veces no pude más y le hablé en el patio
o cuando lo bañaba, y era siempre lo mismo, haciendo un esfuerzo para no llorar, tragándose las
palabras, por qué su mamá era así con él de noche,
pero más allá no podía ir, lloraba demasiado. Yo
no quería que mi hermana se enterara porque había quedado mal de la pleuresía y capaz que la
afectaba demasiado, se lo expliqué de nuevo a
Boby que comprendía muy bien, a mí en cambio
podía contarme cualquier cosa, ya iba a ver que
cuando creciera un poco más iba a dejar de tener
esas pesadillas; mejor que no comiera tanto pan
por la noche, yo le iba a preguntar al doctor
Kaplan si no le convendría algún laxante para dormir sin malos sueños. No le pregunté nada, claro,
era difícil hablarle de una cosa así al doctor Kaplan que tenía tanta clientela y no estaba para
perder tiempo. No sé si hice bien pero Boby poco a
poco dejó de preocuparme tanto, a veces lo veía con
ese aire un poco perdido por las mañanas y me decía que a lo mejor de nuevo y entonces esperaba
que él viniera a confiarse, pero Boby se iba a la escuela sin decirme nada y volvía contento y cada
día más fuerte y sano y con las mejores notas.

La última vez fue cuando la ola de calor de fe-
brero, mi hermana ya estaba curada y hacíamos la
vida de siempre. No sé si se daba cuenta, pero yo
no quería decirle nada porque la conozco y sé que
es demasiado sensible, sobre todo cuando se trata
de Boby, bien que me acuerdo de cuando Boby
era chiquito y mi hermana todavía estaba bajo el
golpe del divorcio y esas cosas, lo que le costaba
aguantar cuando Boby lloraba o hacía alguna tra-
vesura y yo tenía que llevármelo al patio y esperar
que todo se calmara, para eso estamos las tías. Más
bien pienso que mi hermana no se daba cuenta
de que a veces Boby se levantaba como si volviera
de un largo viaje, con una cara perdida que le
duraba hasta el café con leche, y cuando nos que-
dábamos solas yo siempre esperaba que ella dijera
alguna cosa, pero no; y a mí me parecía mal re-
cordarle algo que tenía que hacerla sufrir, más
bien me imaginaba que en una de esas Boby volvería a preguntarle por qué era mala con él, pero
Boby también debía pensar que no tenía derecho
o algo así, capaz que se acordaba de mi pedido y
creía que nunca más tendría que hablarle de eso
a mi hermana. Por momentos me venía la idea de
que era yo la que estaba inventando, seguro que
Boby ya no soñaba nada malo con su madre, a mí
me lo hubiera dicho en seguida para consolarse;
pero después le veía esa carita de algunas mañanas
y volvía a preocuparme. Menos mal que mi hermana no se daba cuenta de nada, ni siquiera la

primera vez que Boby la miró así, yo estaba planchando y él desde la puerta de la antecocina la miró a mi hermana y no sé, cómo se puede explicar una cosa así, solamente que la plancha casi me agujerea el camisón azul, la saqué justo a tiempo y Boby todavía estaba mirando así a mi hermana que amasaba para hacer empanadas. Cuando le pregunté qué buscaba, por decirle algo, él se sobresaltó y contestó que nada, que hacía demasiado calor afuera para jugar a la pelota. No sé con qué tono le había hecho la pregunta pero él repitió la explicación como para convencerme y se fue a dibujar a la sala. Mi hermana dijo que Boby estaba muy sucio y que lo iba a bañar esa misma tarde, con lo grande que era se olvidaba siempre de lavarse las orejas y los pies. Al final fui yo quien lo bañé porque mi hermana todavía se cansaba por la tarde, y mientras lo enjabonaba en la bañadera y él jugaba con el pato de plástico que nunca había querido abandonar, me animé a preguntarle si dormía mejor esa temporada.

—Más o menos —me dijo, después de un momento dedicado a hacer nadar el pato.

—¿Cómo más o menos? ¿Soñás o no soñás cosas feas?

—La otra noche sí —dijo Boby, sumergiendo el pato y manteniéndolo bajo el agua.

—¿Le contaste a tu mamá?

—No, a ella no. A ella...

No me dio tiempo a nada, enjabonado y todo

se me tiró encima y me abrazó llorando, temblando, poniéndome a la miseria mientras yo trataba de rechazarlo y su cuerpo se me resbalaba entre los dedos hasta que él mismo se dejó caer sentado en la bañadera y se tapó la cara con las manos, llorando a gritos. Mi hermana vino corriendo y creyó que Boby se había resbalado y que le dolía algo, pero él dijo que no con la cabeza, dejó de llorar con un esfuerzo que le arrugaba la cara, y se levantó en la bañadera para que viéramos que no le había pasado nada, negándose a hablar, desnudo y enjabonado y tan solo en su llanto contenido que ni mi hermana ni yo podíamos calmarlo aunque viniéramos con toallas y caricias y promesas.

Después de eso yo buscaba siempre la oportunidad de darle confianza a Boby sin que se diera cuenta de que lo quería hacer hablar, pero las semanas fueron pasando y nunca quiso decirme nada, ahora cuando me adivinaba algo en la cara se iba en seguida o me abrazaba para pedirme caramelos o permiso para ir a la esquina con Juanita y Mario Panzani. A mi hermana no le pedía nada, era muy atento con ella que en el fondo seguía bastante delicada de salud y no se preocupaba demasiado de atenderlo porque yo llegaba siempre primero y Boby me aceptaba cualquier cosa, hasta lo más desagradable cuando era necesario, de manera que mi hermana no alcanzaba a darse cuenta de eso que yo había visto en seguida, esa manera de mirarla así por momentos, de quedarse en la puerta antes de entrar mirándola hasta que yo me daba cuenta y él bajaba rápido la vista o se ponía a correr o a hacer una cabriola. Lo del cuchillo fue casualidad, yo estaba cambiando el papel en la alacena de la antecocina y había sacado todos los cubiertos; no me di cuenta de que Boby había entrado hasta que me di vuelta para cortar otra tira de papel y lo vi mirando el cuchillo más largo. Se distrajo en seguida o quiso que no me diera cuenta, pero yo esa manera de mirar ya se la conocía y no sé, es estúpido pensar cosas pero me vino como un frío, casi un viento helado en esa antecocina tan recalentada. No fui capaz de decirle nada pero por la noche pensé que Boby había dejado de preguntarle a mi hermana por qué era mala con él, solamente a veces la miraba como había mirado el cuchillo largo, esa mirada diferente. Sería casualidad, claro, pero no me gustó cuando a la semana le volví a ver la misma cara mientras yo estaba justamente cortando pan con el cuchillo largo y mi hermana le explicaba a Boby que ya era tiempo que aprendiera a lustrarse solo los zapatos. "Sí, mamá", dijo Boby, solamente atento a lo que yo le estaba haciendo al pan, acompañando con los ojos cada movimiento del cuchillo y balanceándose casi como si él mismo estuviera cortando el pan; a lo mejor pensaba en los zapatos y se movía como si los lustrara, seguro que mi hermana se imaginó eso porque Boby era tan obediente y tan bueno.

Por la noche se me ocurrió si no tendría que
hablarle a mi hermana, pero qué le iba a decir si
no pasaba nada y Boby sacaba las mejores notas
del grado y esas cosas, solamente que no me podía
dormir porque de golpe todo se juntaba de nuevo,
era como una masa que se iba espesando y entonces
el miedo, imposible saber de qué porque Boby y
mi hermana ya estaban durmiendo y de a ratos
se los oía moverse o suspirar, dormían tan bien,
mucho mejor que yo ahí pensando toda la noche.
Y claro, al final lo busqué a Boby en el jardín
después que lo vi mirar otra vez así a mi hermana,
le pedí que me ayudara a transplantar un almáci-
go y hablamos de un montón de cosas y él me
confió que Juanita tenía una hermana que estaba
de novia.

—Naturalmente, ya es grande —le dije—. Mirá,
andá traeme el cuchillo largo de la cocina para
cortar estas rafias.

Salió corriendo como siempre, porque nadie le
ganaba en servicial conmigo, y me quedé mirando
hacia la casa para verlo volver, pensando que en
realidad tendría que haberle preguntado por los
sueños antes de pedirle el cuchillo, para estar segura. Cuando volvió caminando muy despacio,
como frotándose en el aire de la siesta para tardar
más, vi que había elegido uno de los cuchillos cor-
tos aunque yo había dejado el más largo bien a la
vista porque quería estar segura de que lo iba a
ver apenas abriera el cajón de la alacena.

—Este no sirve —le dije. Me costaba hablar, era estúpido con alguien tan chiquito e inocente como Boby, pero ni siquiera alcanzaba a mirarlo en los ojos. Solamente sentí el envión cuando se me tiró en los brazos soltando el cuchillo y se apretó contra mí, se apretó tanto contra mí sollozando. Creo que en ese momento vi algo que debía ser su última pesadilla, no podría preguntárselo pero pienso que vi lo que él había soñado la última vez antes de dejar de tener las pesadillas y en cambio mirar así a mi hermana, mirar así el cuchillo largo.

APOCALIPSIS DE SOLENTINAME

Los ticos son siempre así, más bien calladitos pero llenos de sorpresas, uno baja en San José de Costa Rica y ahí están esperándote Carmen Naranjo y Samuel Rovinski y Sergio Ramírez (que es de Nicaragua y no tico pero qué diferencia en el fondo si es lo mismo, qué diferencia en que yo sea argentino aunque por gentileza debería decir tino, y los otros nicas o ticos). Hacía uno de esos calores y para peor todo empezaba en seguida, conferencia de prensa con lo de siempre, por qué no vivís en tu patria, qué pasó que *Blow-Up* era tan distinto de tu cuento, ¿te parece que el escritor tiene que estar comprometido? A esta altura de las cosas ya sé que la última entrevista me la harán en las puertas del infierno y seguro que serán las mismas preguntas, y si por caso es chez San Pedro la cosa no va a cambiar, ¿a usted no le parece que allá abajo escribía demasiado hermético para el pueblo?

Después el hotel Europa y esa ducha que corona los viajes con un largo monólogo de jabón y de silencio. Solamente que a las siete cuando ya era hora de caminar por San José y ver si era sencillo y parejito como me habían dicho, una mano se me prendió del saco y detrás estaba Ernesto Cardenal y qué abrazo, poeta, qué bueno que estuvieras ahí después del encuentro en Roma, de tantos encuentros sobre el papel a lo largo de años. Siempre me sorprende, siempre me conmueve que alguien como Ernesto venga a verme y a buscarme, vos dirás que hiervo de falsa modestia pero decilo nomás viejo, el chacal aúlla pero el ómnibus pasa, siempre seré un aficionado, alguien que desde abajo quiere tanto a algunos que un día resulta que también lo quieren, son cosas que me superan, mejor pasamos a la otra línea.

La otra línea era que Ernesto sabía que yo llegaba a Costa Rica y dale, de su isla se había venido en avión porque el pajarito que le lleva las noticias lo tenía informado de que los ticas me planeaban un viaje a Solentiname y a él le parecía irresistible la idea de venir a buscarme, con lo cual dos días después Sergio y Oscar y Ernesto y yo colmábamos la demasiado colmable capacidad de una avioneta Piper Aztec, cuyo nombre será siempre un enigma para mí pero que volaba entre hipos y borborigmos mientras el rubio piloto sintonizaba unos calipsos contrarrestantes y parecía por completo indiferente a mi noción de que el azteca nos llevaba derecho a la pirámide del sacrificio. No fue así, como puede verse, bajamos en Los Chiles y de ahí un yip igualmente tambaleante nos puso en la finca del poeta José Coronel Urteche, a quien más gente haría bien en leer y en cuya casa descansamos hablando de tantos otros amigos poetas, de Roque Dalton y de Gertrude Stein y de Carlos Martínez Rivas hasta que llegó Luis Coronel y nos fuimos para Nicaragua en su yip y en su panga de sobresaltadas velocidades. Pero antes hubo fotos de recuerdo con una cámara de esas que dejan salir ahí nomás un papelito celeste que poco a poco y maravillosamente y polaroid se va llenando de imágenes paulatinas, primero ectoplasmas inquietantes y poco a poco una nariz, un pelo crespo, la sonrisa de Ernesto con su vincha nazarena, doña María y don José recortándose contra la veranda. A todos les parecía muy normal eso porque desde luego estaban habituados a servirse de esa cámara pero yo no, a mí ver salir de la nada, del cuadradito celeste de la nada esas caras y esas sonrisas de despedida me llenaba de asombro y se los dije, me acuerdo de haberle preguntado a Oscar qué pasaría si alguna vez después de una foto de familia el papelito celeste de la nada empezara a llenarse con Napoleón a caballo, y la carcajada de don José Coronel que todo lo escuchaba como siempre, el yip, vámonos ya para el lago.

A Solentiname llegamos entrada la noche, allí esperaban Teresa y William y un poeta gringo y los otros muchachos de la comunidad; nos fuimos a dormir casi en seguida pero antes vi las pinturas en un rincón, Ernesto hablaba con su gente y sacaba de una bolsa las provisiones y regalos que

traía de San José, alguien dormía en una hamaca
y yo vi las pinturas en un rincón, empecé a mirar-
las. No me acuerdo quién me explicó que eran
trabajos de los campesinos de la zona, ésta la pintó
el Vicente, ésta es de la Ramona, algunas firmadas
y otras no pero todas tan hermosas, una vez más la
visión primera del mundo, la mirada limpia del
que describe su entorno como un canto de alaban-
za: vaquitas enanas en prados de amapola, la choza
de azúcar de donde va saliendo la gente como hor-
migas, el caballo de ojos verdes contra un fondo
de cañaverales, el bautismo en una iglesia que no
cree en la perspectiva y se trepa o se cae sobre sí
misma, el lago con botecitos como zapatos y en
último plano un pez enorme que ríe con labios de
color turquesa. Entonces vino Ernesto a expli-
carme que la venta de las pinturas ayudaba a tirar
adelante, por la mañana me mostraría trabajos en
madera y piedra de los campesinos y también sus
propias esculturas; nos íbamos quedando dormi-
dos pero yo seguí todavía hojeando los cuadritos
amontonados en un rincón, sacando las grandes
barajas de tela con las vaquitas y las flores y esa
madre con dos niños en las rodillas, uno de blanco
y el otro de rojo, bajo un cielo tan lleno de estrellas
que la única nube quedaba como humillada en un
ángulo, apretándose contra la varilla del cuadro,
saliéndose ya de la tela de puro miedo.

Al otro día era domingo y misa de once, la misa
de Solentiname en la que los campesinos y Ernesto

y los amigos de visita comentan juntos un capítulo
del evangelio que ese día era el arresto de Jesús en
el huerto, un tema que la gente de Solentiname
trataba como si hablaran de ellos mismos, de la
amenaza de que les cayeran en la noche o en pleno
día, esa vida en permanente incertidumbre de las
islas y de la tierra firme y de toda Nicaragua y no
solamente de toda Nicaragua sino de casi toda
América Latina, vida rodeada de miedo y de muerte, vida de Guatemala y vida del Salvador, vida de
la Argentina y de Bolivia, vida de Chile y de Santo
Domingo, vida del Paraguay, vida de Brasil y de
Colombia.

Ya después hubo que pensar en volverse y fue
entonces que pensé de nuevo en los cuadros, fui a
la sala de la comunidad y empecé a mirarlos a la
luz delirante de mediodía, los colores más altos,
los acrílicos o los óleos enfrentándose desde caba-
llitos y girasoles y fiestas en los prados y palmares
simétricos. Me acordé que tenía un rollo de color
en la cámara y salí a la veranda con una brazada
de cuadros; Sergio que llegaba me ayudó a tenerlos
parados en la buena luz, y de uno en uno los fui
fotografiando con cuidado, centrando de manera
que cada cuadro ocupara enteramente el visor.
Las casualidades son así: me quedaban tantas to-
mas como cuadros, ninguno se quedó afuera y
cuando vino Ernesto a decirnos que la panga estaba
lista le conté lo que había hecho y él se rió, ladrón
de cuadros, contrabandista de imágenes. Sí, le dije,

me los llevo todos, allá los proyectaré en mi pantalla y serán más grandes y más brillantes que éstos, jodete.

Volví a San José, estuve en La Habana y anduve por ahí haciendo cosas, de vuelta a París con un cansancio lleno de nostalgia, Claudine calladita esperándome en Orly, otra vez la vida de reloj pulsera y merci monsieur, bonjour madame, los comités, los cines, el vino tinto y Claudine, los cuartetos de Mozart y Claudine. Entre tanta cosa que los sapos maletas habían escupido sobre la cama y la alfombra, revistas, recortes, pañuelos y libros de poetas centroamericanos, los tubos de plástico gris con los rollos de películas, tanta cosa a lo largo de dos meses, la secuencia de la Escuela Lenín de La Habana, las calles de Trinidad, los perfiles del volcán Irazú y su cubeta de agua hirviente verde donde Samuel y yo y Sarita habíamos imaginado patos ya asados flotando entre gasas de humo azufrado. Claudine llevó los rollos a revelar, una tarde andando por el barrio latino me acordé y como tenía la boleta en el bolsillo los recogí y eran ocho, pensé en seguida en los cuadritos de Solentiname y cuando estuve en mi casa busqué en las cajas y fui mirando la primera diapositiva de cada serie, me acordaba que antes de fotografiar los cuadritos había estado sacando la misa de Ernesto, unos niños jugando entre las palmeras igualitos a las pinturas, niños y palmeras y vacas contra un fondo violentamente azul de cielo y de lago apenas

un poco más verde, o a lo mejor al revés, ya no lo
tenía claro. Puse en el cargador la caja de los niños
y la misa, sabía que después empezaban las pinturas hasta el final del rollo.

Anochecía y yo estaba solo, Claudine vendría
al salir del trabajo para escuchar música y quedarse
conmigo; armé la pantalla y un ron con mucho
hielo, el proyector con su cargador listo y su botón
de telecomando; no hacía falta correr las cortinas,
la noche servicial ya estaba ahí encendiendo las
lámparas y el perfume del ron; era grato pensar
que todo volvería a darse poco a poco, después de
los cuadritos de Solentiname empezaría a pasar
las cajas con las fotos cubanas, pero por qué los
cuadritos primero, por qué la deformación pro-
fesional, el arte antes que la vida, y por qué no, le
dijo el otro a éste en su eterno indesarmable diálogo fraterno y rencoroso, por qué no mirar primero
las pinturas de Solentiname si también son la vida,
si todo es lo mismo.

Pasaron las fotos de la misa, más bien malas por
errores de exposición, los niños en cambio jugaban
a plena luz y dientes tan blancos. Apretaba sin
ganas el botón de cambio, me hubiera quedado
tanto rato mirando cada foto pegajosa de recuerdo,
pequeño mundo frágil de Solentiname rodeado de
agua y de esbirros como estaba rodeado el muchacho que miré sin comprender, yo había apretado
el botón y el muchacho estaba ahí en un segundo
plano clarísimo, una cara ancha y lisa como llena

de incrédula sorpresa mientras su cuerpo se vencía
hacia adelante, el agujero nítido en mitad de la
frente, la pistola del oficial marcando todavía la
trayectoria de la bala, los otros a los lados con las
metralletas, un fondo confuso de casas y de árboles.

Se piensa lo que se piensa, eso llega siempre antes
que uno mismo y lo deja tan atrás; estúpidamente
me dije que se habrían equivocado en la óptica,
que me habían dado las fotos de otro cliente, pero
entonces la misa, los niños jugando en el prado,
entonces cómo. Tampoco mi mano obedecía cuando apretó el botón y fue un salitral interminable
a mediodía con dos o tres cobertizos de chapas
herrumbradas, gente amontonada a la izquierda
mirando los cuerpos tendidos boca arriba, sus brazos abiertos contra un cielo desnudo y gris; había
que fijarse mucho para distinguir en el fondo al
grupo uniformado de espaldas y yéndose, el yip
que esperaba en lo alto de una loma.

Sé que seguí; frente a eso que se resistía a toda
cordura lo único posible era seguir apretando el
botón, mirando la esquina de Corrientes y San
Martín y el auto negro con los cuatro tipos apun-
tando a la vereda donde alguien corría con una
camisa blanca y zapatillas, dos mujeres queriendo
refugiarse detrás de un camión estacionado, alguien mirando de frente, una cara de incredulidad
horrorizada, llevándose una mano al mentón como
para tocarse y sentirse todavía vivo, y de golpe la
pieza casi a oscuras, una sucia luz cayendo de la

alta ventanilla enrejada, la mesa con la muchacha desnuda boca arriba y el pelo colgándole hasta el suelo, la sombra de espaldas metiéndole un cable entre las piernas abiertas, los dos tipos de frente hablando entre ellos, una corbata azul y un pulóver verde. Nunca supe si seguía apretando o no el botón, vi un claro de selva, una cabaña con techo de paja y árboles en primer plano, contra el tronco del más próximo un muchacho flaco mirando hacia la izquierda donde un grupo confuso, cinco o seis muy juntos le apuntaban con fusiles y pistolas; el muchacho de cara larga y un mechón cayéndole en la frente morena los miraba, una mano alzada a medias, la otra a lo mejor en el bolsillo del pantalón, era como si les estuviera diciendo algo sin apuro, casi displicentemente, y aunque la foto era borrosa yo sentí y supe y vi que el muchacho era Roque Dalton, y entonces sí apreté el botón como si con eso pudiera salvarlo de la infamia de esa muerte y alcancé a ver un auto que volaba en pedazos en pleno centro de una ciudad que podía ser Buenos Aires o São Paulo, seguí apretando y apretando entre ráfagas de caras ensangrentadas y pedazos de cuerpos y carreras de mujeres y de niños por una ladera boliviana o guatemalteca, de golpe la pantalla se llenó de mercurio y de nada y también de Claudine que entraba silenciosa volcando su sombra en la pantalla antes de inclinarse y besarme en el pelo y preguntar si eran lindas, si estaba contento de las fotos, si se las quería mostrar.

Corrí el cargador y volví a ponerlo en cero, uno no sabe cómo ni por qué hace las cosas cuando ha cruzado un límite que tampoco sabe. Sin mirarla, porque hubiera comprendido o simplemente tenido miedo de eso que debía ser mi cara, sin explicarle nada porque todo era un solo nudo desde la garganta hasta las uñas de los pies, me levanté y despacio la senté en mi sillón y algo debí decir de que iba a buscarle un trago y que mirara, que mirara ella mientras yo iba a buscarle un trago. En el baño creo que vomité, o solamente lloré y después vomité o no hice nada y solamente estuve sentado en el borde de la bañadera dejando pasar el tiempo hasta que pude ir a la cocina y prepararle a Claudine su bebida preferida, llenársela de hielo y entonces sentir el silencio, darme cuenta de que Claudine no gritaba ni venía corriendo a preguntarme, el silencio nada más y por momentos el bolero azucarado que se filtraba desde el departamento de al lado. No sé cuánto tardé en recorrer lo que iba de la cocina al salón, ver la parte de atrás de la pantalla justo cuando ella llegaba al final y la pieza se llenaba con el reflejo del mercurio instantáneo y después la penumbra, Claudine apagando el proyector y echándose atrás en el sillón para tomar el vaso y sonreírme despacito, feliz y gata y tan contenta.

—Qué bonitas te salieron, esa del pescado que se ríe y la madre con los dos niños y las vaquitas en el campo; espera, y esa otra del bautismo en la iglesia. decíme quién los pintó, no se ven las firmas.

Sentado en el suelo, sin mirarla, busqué mi vaso y lo bebí de un trago. No le iba a decir nada, qué le podía decir ahora, pero me acuerdo que pensé vagamente en preguntarle una idiotez, preguntarle si en algún momento no había visto una foto de Napoleón a caballo. Pero no se lo pregunté, claro.

LA BARCA, O
NUEVA VISITA A VENECIA

Desde joven me tentó la idea de reescribir textos
literarios que me habían conmovido pero cuya factura
me parecía inferior a sus posibilidades internas; creo que
algunos relatos de Horacio Quiroga llevaron esa tentación a un límite que se resolvió, como era preferible, en
silencio y abandono. Lo que hubiera tratado de hacer
por amor sólo podía recibirse como insolente pedantería; acepté lamentar a solas que ciertos textos me
parecieran por debajo de lo que algo en ellos y en mí
había reclamado inútilmente.

El azar y un paquete de viejos papeles me dan hoy
una apertura análoga sobre ese deseo no realizado, pero
en este caso la tentación es legítima puesto que se trata
de un texto mío, un largo relato titulado La barca. En la
última página del borrador encuentro esta nota: "¡Qué
malo! Lo escribí en Venecia en 1954; lo releo diez años
después, y me gusta, y es tan malo."

El texto y la acotación estaban olvidados; doce años
más se sumaron a los diez primeros, y al releer ahora
estas páginas coincido con mi nota, sólo que quisiera
saber mejor por qué el relato me parecía y me parece
malo, y por qué me gustaba y me gusta.

Lo que sigue es una tentativa de mostrarme a mí
mismo que el texto de La barca está mal escrito porque
es falso, porque pasa al lado de una verdad que entonces

no fui capaz de aprehender y que ahora me resulta evidente. Reescribirlo sería fatigoso y, de alguna manera poco clara, desleal, casi como si fuese el relato de otro autor y yo cayera en la pedantería que señalé al comienzo. Puedo en cambio dejarlo tal como nació, y mostrar al mismo tiempo lo que ahora alcanzo a ver en él. Es entonces que Dora entra en escena.

Si Dora hubiera pensado en Pirandello, desde un principio hubiera venido a buscar al autor para reprocharle su ignorancia o su persistente hipocresía. Pero soy yo quien va ahora hacia ella para que finalmente ponga las cartas boca arriba. Dora no puede saber quién es el autor del relato, y sus críticas se dirigen solamente a lo que en éste sucede visto desde adentro, allí donde ella existe; pero que ese suceder sea un texto y ella un personaje de su escritura no cambian en nada su derecho igualmente textual a rebelarse frente a una crónica que juzga insuficiente o insidiosa.

Así, la voz de Dora interrumpe hoy de tanto en tanto el texto original que, aparte de correcciones de puro detalle y la eliminación de breves pasajes repetitivos, es el mismo que escribí a mano en la Pensione dei Dogi en 1954. El lector encontrará en él todo lo que me parece malo como escritura y a Dora malo como contenido, y que quizá, una vez más, sea el efecto recíproco de una misma causa.

El turismo juega con sus adeptos, los inserta en una temporalidad engañosa, hace que en Francia salgan de un bolsillo las monedas inglesas sobrantes, que en Holanda se busque vanamente un sabor que sólo da Poitiers. Para Valentina el pequeño bar romano de la via Quattro Fontane se reducía a Adriano, al sabor de una copa de martini pegajoso y la cara de Adriano que le había pedido disculpas por empujarla contra el mostrador. Casi no se acordaba si Dora estaba con ella esa mañana, seguramente sí porque Roma la estaban "haciendo" juntas, organizando una camaradería empezada tontamente como tantas en Cook y American Express.

> *Claro que yo estaba. Desde el comienzo se finge no verme, reducirme a comparsa a veces cómoda y a veces afligente.*

De todos modos aquel bar cerca de Piazza Barberini era Adriano, otro viajero, otro desocupado

circulando como circula todo turista en las ciudades, fantasma entre hombres que van y vienen
del trabajo, tienen familias, hablan un mismo idio-
ma y saben lo que está ocurriendo en ese momento
y no en la arqueología de la Guía Azul.

De Adriano se borraban en seguida los ojos, el
pelo, la ropa; sólo quedaba la boca grande y sensible, los labios que temblaban un poco después de
haber hablado, mientras escuchaba. "Escucha con
la boca", había pensado Valentina cuando del primer diálogo nació una invitación a beber el famoso
cóctel del bar, que Adriano recomendaba y que
Beppo, agitándolo en un cabrilleo de cromos, pro-
clamaba la joya de Roma, el Tirreno metido en
una copa con todos sus tritones y sus hipocampos.
Ese día Dora y Valentina encontraron simpático
a Adriano;

Hm.

no parecía turista (él se consideraba un
viajero y acentuaba sonriendo el distingo) y el diálogo de mediodía fue un encanto más de Roma en
abril. Dora lo olvidó en seguida

*Falso. Distinguir entre savoir faire y ti-
linguería. Nadie como yo (o Valentina,
claro) podía olvidar así nomás a alguien
como Adriano; pero me sucede que soy
inteligente y desde el vamos sentí que
mi largo de onda no era el suyo. Hablo
de amistad, no de otra cosa porque en eso
ni siquiera se podía hablar de ondas. Y
puesto que no quedaba nada posible,
¿para qué perder el tiempo?*

ocupadísima en vi-
sitar el Laterano, San Clemente, todo en una tarde
porque se iban dos días después, Cook acababa de
venderles un complicado itinerario; por su lado
Valentina encontró el pretexto de unas compras
para volver a la mañana siguiente al bar de Beppo.
Cuando vio a Adriano, que vivía en un hotel ve-
cino, ninguno de los dos fingió sorpresa. Adriano
se iba a Florencia una semana después y discutieron
itinerarios, cambio, hoteles, guías. Valentina creía
en los *pullmans* pero Adriano era pro-tren; fueron
a debatir el problema a una trattoria de la Suburra
donde se comía pescado en un ambiente pintoresco
para los que sólo iban una vez.

De las guías pasaron a los informes personales,
Adriano supo del divorcio de Valentina en Montevideo y ella de su vida familiar en un fundo cer-
cano a Osorno. Compararon impresiones de Lon-

dres, París, Nápoles. Valentina miró una y otra
vez la boca de Adriano, la miraba al desnudo en
ese momento en que el tenedor lleva la comida a
los labios que se apartan para recibirla, cuando no
se debe mirar. Y él lo sabía y apretaba en la boca
el trozo de pulpo frito como si fuera una lengua
de mujer, como si ya estuviera besando a Valentina.

*Falso por omisión: Valentina no miraba
así a Adriano sino a toda persona que la
atraía; conmigo lo había hecho apenas
nos conocimos en el mostrador de American Express, y sé que me pregunté si
no sería como yo; esa manera de clavarme
los ojos siempre un poco dilatados...
Casi en seguida supe que no, personal-
mente no me hubiera molestado intimar
con ella como parte de la* no man's land
*del viaje, pero cuando decidimos com-
partir el hotel yo sabía que había otra
cosa, que esa mirada venía de algo que
podía ser miedo o necesidad de olvido.
Palabras exageradas a esa altura de simples risas,* shampoo *y felicidad turística;
pero después... En todo caso Adriano
debió tomar como un cumplido lo que
también hubiera recibido un barman
amable o una vendedora de carteras. Dicho de paso, también hay ahí un plagio*
avant la lettre *de una famosa escena de*
Tom Jones *en el cine.*

La besó esa tarde, en su hotel de la via Nazionale, después que Valentina telefoneó a Dora para decirle que no iría con ella a las termas de Caracalla.

¡Malgastar así una llamada!

Adriano había hecho subir vino helado, y en su habitación había revistas inglesas y un ventanal contra el cielo del oeste. Sólo la cama les resultó incómoda por demasiado angosta, pero los hombres como Adriano hacen casi siempre el amor en camas estrechas, y Valentina tenía demasiados malos recuerdos del lecho matrimonial para no alegrarse del cambio.

Si Dora sospechaba algo, lo calló.

Falso: ya lo sabía. Exacto: que me callé.

Valentina le dijo aquella noche que se había encontrado casualmente con Adriano, y que tal vez dieran de nuevo con él en Florencia; cuando tres días después lo vie-

ron salir de Orsanmichele, Dora pareció la más
contenta de los tres.

*En casos así hay que hacerse la estúpida
para que no la tomen a una por estúpida.*

Adriano había encontrado inesperadamente
exasperante la separación. De pronto comprendía
que le faltaba Valentina, que no le había bastado
la promesa del reencuentro, de las horas que pasa-
rían juntos. Sentía celos de Dora, los disimulaba
apenas mientras ella —más fea, más vulgar—, le
repetía cosas aplicadamente leídas en la guía del
Touring Club Italiano.

*Nunca he usado las guías del Touring
Club Italiano porque me resultan incom-
prensibles; la Michelin en francés me
basta de sobra.* Passons sur le reste.

Cuando se encontraron en el hotel de Adriano,
al atardecer, Valentina midió la diferencia entre
esa cita y la primera en Roma; ahora las precau-

ciones estaban tomadas, la cama era perfecta y, sobre una mesa curiosamente incrustada, la esperaba
una cajita envuelta en papel azul y dentro un admirable camafeo florentino que ella —mucho más
tarde, cuando bebían sentados junto a la ventana—
prendió en su pecho con el gesto fácil, casi familiar
del que gira una llave en la cerradura cotidiana.

*No puedo saber cuáles eran los gestos de
Valentina en ese momento, pero en todo
caso nunca pudieron ser fáciles; todo en
ella era nudo, eslabón y látigo. De noche,
desde mi cama la miraba dar vueltas antes de acostarse, tomando y dejando una
y otra vez un frasco de perfume, un tubo
de pastillas, yendo a la ventana como si
escuchara ruidos insólitos; o más tarde,
mientras dormía, esa manera de sollozar
en mitad de un sueño, despertándome
bruscamente, llevándome a pasarme a su
cama, ofrecerle un vaso de agua, acariciarle la frente hasta que volvía a dormirse más calmada. Y sus desafíos esa
primera noche en Roma cuando vino a
sentarse a mi lado, vos no me conocés,
Dora, no tenés idea de lo que me anda
por dentro, este vacío lleno de espejos
mostrándome una calle de Punta del
Este, un niño que llora porque no estoy
ahí. ¿Fáciles, sus gestos? A mí, por lo menos, me habían mostrado desde el princi-*

*pio que nada tenía que esperar de ella
en un plano afectivo, aparte de la camaradería. Me cuesta imaginar que Adriano,
por masculinamente ciego que estuviera,
no alcanzara a sospechar que Valentina
estaba besando la nada en su boca, que
antes y después del amor Valentina seguiría llorando en sueños.*

Hasta entonces Adriano no se había enamorado
de sus amantes, algo en él lo llevaba a tomarlas
demasiado pronto como para crear el aura, la necesaria zona de misterio y de deseo, organizar la
cacería mental que alguna vez podría llamarse
amor. Con Valentina había sido igual, pero en los
días de separación, en esos últimos atardeceres de
Roma y el viaje a Florencia, algo diferente había es-
tallado en Adriano. Sin sorpresa, sin humildad, casi
sin maravilla, la vio surgir en la penumbra dorada
de Orsanmichele, brotando del tabernáculo de Or-
cagna como si una de las innumerables figurillas
de piedra se desgajara del monumento para venir
a su encuentro. Quizá sólo entonces comprendió
que estaba enamorándose de ella. O quizá después,
en el hotel, cuando Valentina había llorado abra-
zada a él, sin darle razones, dejándose ir como
una niña que se abandona a una necesidad largamente contenida y encuentra un alivio mezclado
con vergüenza, con reprobación.

En lo inmediato y exterior Valentina lloraba por
lo precario del encuentro. Adriano seguiría su
camino unos días más tarde; no volverían a encontrarse porque el episodio entraba en un vulgar
calendario de vacaciones, un marco de hoteles y
cócteles y frases rituales. Sólo los cuerpos saldrían
saciados, como siempre, por un rato tendrían la
plenitud del perro que termina de mascar y se tira
al sol con un gruñido de contento. En sí el encuentro era perfecto, cuerpos hechos para apretarse,
enlazarse, retardar o provocar la delicia. Pero cuando miraba a Adriano sentado al borde de la cama
(y él la miraba con su boca de labios gruesos), Valentina sentía que el rito acababa de cumplirse sin
un contenido real, que los instrumentos de la pa-
sión estaban huecos, que el espíritu no los habitaba.
Todo eso le había sido llevadero e incluso favorable
en otros lances de la hora, y sin embargo esta vez
hubiera querido retener a Adriano, demorar el
momento de vestirse y salir, esos gestos que de alguna manera anunciaban ya una despedida.

*Aquí se ha querido decir algo sin decirlo,
sin entender más que un rumor incierto.
También a mí Valentina me había mirado
así mientras nos bañábamos y vestíamos
en Roma, antes de Adriano; también yo
había sentido que esas rupturas en lo
continuo le hacían daño, la tiraban hacia*

*el futuro. La primera vez cometí el error
de insinuarlo, de acercarme y acariciarle
el pelo y proponerle que hiciéramos subir bebidas y nos quedáramos mirando el
atardecer desde la ventana. Su respuesta
fue seca, no había venido desde el Uru-
guay para vivir en un hotel. Pensé simplemente que seguía desconfiando de mí,
que atribuía un sentido preciso a ese
esbozo de caricia, así como yo había entendido mal su primera mirada en la
agencia de viajes. Valentina miraba, sin
saber exactamente por qué; éramos los
otros quienes cedíamos a ese interrogar
oscuro que tenía algo de acoso, pero un
acoso que no nos concernía.*

Dora los esperaba en uno de los cafés de la
Signoria, acababa de descubrir a Donatello y lo explicó con demasiado énfasis, como si su entusiasmo
le sirviera de manta de viaje y la ayudara a disimular alguna irritación.

—Claro que iremos a ver las estatuas —dijo Valentina—, pero esta tarde no podíamos entrar en
los museos, demasiado sol para ir a los museos.

—No van a estar tanto tiempo aquí como para
sacrificar todo eso al sol.

Adriano hizo un gesto vago, esperó las palabras
de Valentina. Le era difícil saber lo que represen-
taba Dora para Valentina, si el viaje de las dos

estaba ya definido y no admitiría cambios. Dora volvía a Donatello, multiplicaba las inútiles referencias que se hacen en ausencia de las obras; Valentina miraba la torre de la Signoria, buscaba mecánicamente los cigarrillos.

Creo que sucedió exactamente así, y que por primera vez Adriano sufrió de veras, temió que yo representara el viaje sagrado, la cultura como deber, las reservas de trenes y de hoteles. Pero si alguien le hubiera preguntado por la otra solución posible, sólo hubiera podido pensar en algo parecido junto a Valentina, sin un término preciso.

Al otro día fueron a los Ufizzi. Como hurtándose a la necesidad de una decisión. Valentina se aferraba obstinadamente a la presencia de Dora para no dejar resquicios a Adriano. Sólo en un momento fugaz, cuando Dora se había retrasado mirando un retrato, él pudo hablarle de cerca.

—¿Vendrás esta tarde?

—Sí —dijo Valentina sin mirarlo—, a las cuatro.

—Te quiero tanto —murmuró Adriano rozándole el hombro con dedos casi tímidos—. Valentina, te quiero tanto.

Entraba un grupo de turistas norteamericanos
precedidos por la voz nasal del guía. Los separaron
sus caras vacuamente ávidas, falsamente interesa-
das en la pintura que olvidarían una hora después
entre spaghetti y vino de los Castelli Romani.
También venía Dora hojeando su guía, perdida
porque no le coincidían los números del catálogo
con los cuadros colgados.

*A propósito, por supuesto. Dejarlos ha-
blar, citarse, hartarse. No él, eso ya lo
sabía, pero ella. Tampoco hartarse, más
bien volver al perpetuo impulso de la
fuga que quizá la devolvería a mi manera de acompañarla sin hostigamiento,
a esperar simplemente a su lado aunque
no sirviera de nada.*

—Te quiero tanto —repetiría esa tarde Adriano
inclinándose sobre Valentina que descansaba boca
arriba—. Tú lo sientes, ¿verdad? No está en las
palabras, no tiene nada que ver con decirlo, con
buscarle nombres. Dime que lo sientes, que no te
lo explicas pero que lo sientes ahora que...
Hundió la cara entre sus senos, besándola largamente como si bebiera la fiebre que latía en la piel
de Valentina, que le acariciaba el pelo con un gesto
lejano, distraído.

¿D'Annunzio vivió en Venecia, no? A me-
nos que fueran los dialoguistas de Holly-
wood...

—Sí, me quieres —dijo ella—. Pero es como si tú
también tuvieras miedo de algo, no de quererme
pero... No miedo, quizá, más bien ansiedad. Te
preocupa lo que va a venir ahora.

—No sé lo que va a venir, no tengo la menor
idea. ¿Cómo tenerle miedo a tanto vacío? Mi miedo eres tú, es un miedo concreto, aquí y ahora. No
me quieres como yo a ti, Valentina, o me quieres
de otra manera, limitada o contenida vaya a saber
por qué razones.

Valentina lo escuchaba cerrando los ojos. Despacio, coincidiendo con lo que él acababa de decir,
entreveía algo detrás, algo que al principio no era
sino un hueco, una inquietud. Se sentía demasiado
dichosa en ese momento para tolerar que la menor
falla se inmiscuyera en esa hora perfecta y pura
en la que ambos se habían amado sin otro pensamiento que el de no querer pensar. Pero tampoco
podía impedirse entender las palabras de Adriano,
medía de pronto la fragilidad de esa situación turística bajo un techo prestado, entre sábanas aje-
nas, amenazados por guías ferroviarias, itinerarios
que llevaban a vidas diferentes, a razones desconoci-
cidas y probablemente antagónicas como siempre.

—No me quieres como yo a ti —repitió Adriano, rencoroso—. Te sirvo, te sirvo como un cuchillo o un camarero, nada más.

—Por favor —dijo Valentina—. *Je t'en prie*.

Tan difícil darse cuenta de por qué ya no eran felices a tan pocos momentos de algo que había sido como la felicidad.

—Sé muy bien que tendré que volver —dijo Valentina sin retirar los dedos de la cara ansiosa de Adriano—. Mi hijo, mi trabajo, tantas obligaciones. Mi hijo es muy pequeño, muy indefenso.

—También yo tengo que volver —dijo Adriano desviando los ojos—. También yo tengo mi trabajo, mil cosas.

—Ya ves.

—No, no veo. ¿Cómo quieres que vea? Si me obligas a considerar esto como un episodio de viaje, le quitas todo, lo aplastas como a un insecto. Te quiero, Valentina. Querer es más que recordar o prepararse a recordar.

—No es a mí a quien tienes que decírselo. No, no es a mí. Tengo miedo del tiempo, el tiempo es la muerte, su horrible disfraz. ¿No te das cuenta de que nos amamos contra el tiempo, que al tiempo hay que negarlo?

—Sí —dijo Adriano, dejándose caer de espaldas junto a ella—, y ocurre que tú te vas pasado mañana a Bologna, y yo un día después a Lucca.

—Cállate.

—¿Por qué? Tu tiempo es el de Cook, aunque

pretendas llenarlo de metafísica. El mío en cambio
lo decide mi capricho, mi placer, los horarios de
trenes que prefiero o rechazo.

—Ya lo ves —murmuró Valentina—. Ya lo ves
que tenemos que rendirnos a las evidencias. ¿Qué
más queda?

—Venir conmigo. Deja tu famosa excursión,
deja a Dora que habla de lo que no sabe. Vámonos
juntos.

Alude a mis entusiasmos pictóricos, no
vamos a discutir si tiene razón. En todo
caso los dos se hablan con sendos espejos
por delante, un perfecto diálogo de best-
seller para llenar dos páginas con nada
en particular. Que sí, que no, que el
tiempo... Todo era tan claro para mí,
Valentina piuma al vento, la neura y la
depre y doble dosis de valium por la no-
che, el viejo, viejo cuadro de nuestra jo-
ven, joven época. Una apuesta conmigo
mismo (en ese momento, me acuerdo
bien): de dos males, Valentina elegiría
el menor, yo. Conmigo ningún problema
(si me elegía); al final del viaje adiós
querida, fue tan dulce y tan bello, adiós
adiós. En cambio Adriano... Las dos
habíamos sentido lo mismo: con la boca
de Adriano no se jugaba. Esos labios...
(Pensar que ella les permitía que cono-
cieran cada rincón de su piel; hay

cosas que me rebasan, claro que es cues-
tión de libido, we know, we know, we
know.)

Y sin embargo era más fácil besarlo, ceder a su
fuerza, resbalar blandamente bajo la ola del cuerpo
que la ceñía; era más fácil entregarse que negarle
ese asentimiento que él, perdido otra vez en el placer, olvidaba ya.

Valentina fue la primera en levantarse. El agua
de la ducha la azotó largamente. Poniéndose una
bata de baño, volvió a la habitación donde Adriano
seguía en la cama, a medias incorporado y sonriéndole como desde un sarcófago etrusco, fumando despacioso.

—Quiero ver cómo anochece desde el balcón.

A orillas del Arno, el hotel recibía las últimas
luces. Aún no se habían encendido las lámparas en
el Ponte Vecchio, y el río era una cinta de color
violeta con franjas más claras, sobrevolado por pequeños murciélagos que cazaban insectos invisibles; más arriba chirriaban las tijeras de las golondrinas. Valentina se tendió en la mecedora, respiró
un aire ya fresco. La ganaba una fatiga dulce, hubiera podido dormirse, quizás durmió unos instan-
tes. Pero en ese interregno de abandono seguía
pensando en Adriano, en Adriano y el tiempo, las
palabras monótonas volvían como estribillos de

una canción tonta, el tiempo es la muerte, un disfraz de la muerte, el tiempo es la muerte. Miraba el cielo, las golondrinas que jugaban sus límpidos juegos, chirriando brevemente como si trizaran la loza azul profundo del crepúsculo. Y también Adriano era la muerte.

Curioso. De golpe se toca fondo a partir de tanta falsa premisa. Tal vez sea siempre así (pensarlo otro día, en otros contextos). Asombra que seres tan alejados de su propia verdad (Valentina más que Adriano, es cierto) acierten por momentos; claro que no se dan cuenta y es mejor así, lo que sigue lo prueba. (Quiero decir que es mejor para mí, bien mirado.)

Se enderezó, rígida. También Adriano era la muerte. ¿Ella había pensado eso? También Adriano era la muerte. No tenía el menor sentido, había mezclado palabras como en un refrán infantil, y resultaba ese absurdo. Volvió a tenderse, relajándose, y miró otra vez las golondrinas. Quizá no fuera tan absurdo; de todos modos haber pensado eso valía tan sólo como una metáfora puesto que renunciar a Adriano mataría algo en ella, la arran-

caría de una parte momentánea de sí misma, la
dejaría a solas con una Valentina diferente, Valentina sin Adriano, sin el amor de Adriano, si era
amor ese balbuceo de tan pocos días, si en ella misma era amor esa entrega furiosa a un cuerpo que
la anegaba y la devolvía como exhausta al abandono del atardecer. Entonces sí, entonces visto así
Adriano era la muerte. Todo lo que se posee es la
muerte porque anuncia la desposesión, organiza el
vacío a venir. Refranes infantiles, mantantiruliru-
lá, pero ella no podía renunciar a su itinerario, quedarse con Adriano. Cómplice de la muerte, entonces, lo dejaría irse a Lucca nada más que porque
era inevitable a corto o largo plazo, allá a lo lejos
Buenos Aires y su hijo eran como las golondrinas
sobre el Arno, chirriando débilmente, reclamando
en el anochecer que crecía como un vino negro.

—Me quedaré —murmuró Valentina—. Lo
quiero, lo quiero. Me quedaré y me lo llevaré un
día conmigo.

Sabía bien que no iba a ser así, que Adriano no
cambiaría su vida por ella, Osorno por Buenos
Aires.

¿Cómo podía saberlo? Todo apunta en
la dirección contraria; es Valentina la
que jamás cambiará Buenos Aires por
Osorno, su instalada vida, sus rutinas río-
platenses. En el fondo no creo que ella

*pensara eso que le hacen pensar; también
es cierto que la cobardía tiende a proyec-
tar en otros la propia responsabilidad,
etcétera.*

Se sintió como suspendida en el aire, casi
ajena a su cuerpo, tan sólo miedo y algo como
congoja. Veía una bandada de golondrinas que se
había arracimado sobre el centro del río, volando
en grandes círculos. Una de las golondrinas se
apartó de las otras, perdiendo altura, acercándose.
Cuando parecía que iba a remontarse otra vez,
algo falló en la máquina maravillosa. Como un
turbio pedazo de plomo, girando sobre sí misma,
se precipitó diagonalmente y golpeó con un golpe
opaco a los pies de Valentina en el balcón.

Adriano oyó el grito y vino corriendo. Valentina se tapaba la cara y temblaba horriblemente,
refugiada en el otro extremo del balcón. Adriano
vio la golondrina muerta y la empujó con el pie.
La golondrina cayó a la calle.

—Ven, entra —dijo él, tomando por los hombros a Valentina—. No es nada, ya pasó. Te asus-
taste, pobre querida.

Valentina callaba, pero cuando él le apartó las
manos y le vio la cara, tuvo miedo. No hacía más
que copiar el miedo de ella, quizá el miedo final
de la golondrina desplomándose fulminada en un

aire que de pronto, esquivo y cruel, había dejado
de sostenerla.

A Dora le gustaba charlar antes de dormir, y
pasó media hora con noticias sobre Fiésole y el
piazzale Michelangelo. Valentina la escuchaba como de lejos, perdida en un rumor interno que no
podía confundir con una meditación. La golondrina estaba muerta, había muerto en pleno vuelo. Un anuncio, una intimación. Como si en un
semisueño extrañamente lúcido, Adriano y la golondrina empezaran a confundirse en ella resol-
viéndose en un deseo casi feroz de fuga, de arranca-
miento. No se sentía culpable de nada pero sentía
la culpa en sí, la golondrina como una culpa gol-
peando sordamente a sus pies.

En pocas palabras le dijo a Dora que iba a cambiar de planes, que seguiría directamente a Venecia.

—Me encontrarás allá de todos modos. No hago
más que adelantarme unos días, de verdad prefiero
estar sola unos días.

Dora no pareció demasiado sorprendida. Lástima que Valentina se perdiera Ravenna, Ferrara. De
todos modos comprendía que prefiriera irse directamente y sola a Venecia; mejor ver bien una ciudad que mal dos o tres... Valentina ya no la escuchaba, perdida en su fuga mental, en la carrera
que debía alejarla del presente, de un balcón sobre
el Arno.

Aquí casi siempre se acierta partiendo del error, es irónico y divertido. Acepto eso de que yo no estaba demasiado sorprendida y que cumplí con el lip service *necesario para tranquilizar a Valentina. Lo que no se sabe es que mi falta de sorpresa tenía otras fuentes, la voz y la cara de Valentina contándome el episodio del balcón, tan desproporcionado a menos de sentirlo como ella lo sentía, un anuncio fuera de toda lógica y por eso irresistible. Y también una deliciosa, cruel sospecha de que Valentina estaba confundiendo las razones de su miedo, confundiéndome con Adriano. Su cortés distancia esa noche, su veloz manera de asearse y acostarse sin darme la menor oportunidad de compartir el espejo del baño, los ritos de la ducha,* le temps d'un sein nu/entre deux chemises. *Adriano, sí, digamos que sí, que Adriano. ¿Pero por qué esa manera de acostarse dándome la espalda, tapándose la cara con un brazo para sugerirme que apagara la luz lo antes posible, que la dejara dormir sin más palabras, sin siquiera un leve beso de buenas noches entre amigas de viaje?*

En el tren lo pensó mejor, pero el miedo seguía. ¿De qué estaba escapando? No era fácil aceptar las soluciones de la prudencia, elogiarse por haber roto el lazo a tiempo. Quedaba el enigma del miedo como si Adriano, el pobre Adriano, fuera el diablo, como si la tentación de enamorarse de veras de él fuese el balcón abierto sobre el vacío, la invitación al salto irrestañable.

Vagamente pensó Valentina que estaba huyendo de sí misma más que de Adriano. Hasta la prontitud con que se le había entregado en Roma probaba su resistencia a toda seriedad, a todo recomienzo fundamental. Lo fundamental había quedado al otro lado del mar, hecho trizas para siempre, y ahora era el tiempo de la aventura sin amarras, como ya otras antes y durante el viaje, la aceptación de circunstancias sin análisis moral ni lógico, la compañía episódica de Dora como resultado de un mostrador en una agencia de viajes, Adriano en otro mostrador, el tiempo de un cóctel o una ciudad, momentos y placeres tan borrosos como el moblaje de las piezas de los hoteles que se van dejando atrás.

Compañía episódica, sí. Pero quiero creer que hay más que eso en una referencia que por lo menos me equipara a Adriano como dos lados de un triángulo en el que el tercero es un mostrador.

Y sin embargo Adriano en Florencia había avanzado hacia ella con el reclamo del poseedor, ya no el amante fugitivo de Roma; peor, exigiendo reciprocidad, esperándola y urgiéndola. Quizá el miedo nacía de eso, no era más que un sucio y mezquino miedo a las complicaciones mundanas, Buenos Aires / Osorno, la gente, los hijos, la realidad instalándose tan diferente en el calendario de la vida compartida. Y quizá no: detrás, siempre, otra cosa, inapresable como una golondrina al vuelo. Algo que de pronto hubiera podido precipitarse sobre ella, un cuerpo muerto golpeándola.

Hm. ¿Por qué le iba mal con los hombres? Mientras piensa como se la hace pensar, hay como la imagen de algo acorralado, sitiado: la verdad profunda, cercada por las mentiras de un conformismo irrenunciable. Pobrecita, pobrecita.

Los primeros días en Venecia fueron grises y casi fríos, pero al tercero estalló el sol desde temprano y el calor vino en seguida, derramándose con los turistas que salían entusiastas de los hoteles y llenaban la piazza San Marco y la Merceria en un alegre desorden de colores y de lenguas. A Valentina le agradó dejarse llevar por la cadenciosa serpiente que remontaba la Merceria rumbo al Rialto. Cada recodo, el puente dei Baretieri, San Salvatore, el oscuro recinto postal de la Fondamenta dei Tedeschi, la recibían con esa calma impersonal de Venecia para con sus turistas, tan diferente de la convulsa expectativa de Nápoles o el ancho darse de los panoramas de Roma. Recogida, siempre secreta, Venecia jugaba una vez más a hurtar su verdadero rostro, sonriendo impersonalmente a la espera de que en el día y la hora propicios su voluntad de mostrarse de verdad al buen viajero lo recompensaran de su fidelidad. Desde el Rialto miró Valentina los fastos del Canal Grande, y se asombró de la distancia inesperada entre ella y ese lujo de aguas y de góndolas. Penetró en las callejuelas que de *campo* en *campo* la llevaban a iglesias y museos, salió a los muelles desde donde podían enfrentarse las fachadas de los grandes palacios corroídos por un tiempo plomizo y verde. Todo lo veía, todo lo admiraba, sabiendo sin embargo que sus reacciones eran convencionales y casi forzadas, como el elogio repetido a las fotos que nos van mostrando en los álbumes de familia. Algo —sangre, ansiedad o tan sólo ganas de vivir— parecía haber quedado atrás. Valentina odió de pronto el recuerdo de Adriano, le repugnó la petulancia de Adriano que había cometido la falta de enamorarse de ella. Su ausencia lo hacía aún más odioso porque su falta era de las que sólo se castigan o se perdonan en persona. Venecia

*La opción ya tomada, se hace pensar como
se quiere a Valentina, pero otras opciones
son posibles si se tiene en cuenta que ella
optó por irse sola a Venecia. Términos
exagerados como odio y repugnancia, ¿se
aplican en verdad a Adriano? Un mero
cambio de prisma, y no es en Adriano
que piensa Valentina mientras vaga por
Venecia. Por eso mi amable infidencia
florentina era necesaria, había que seguir
proyectando a Adriano en el centro de
una acción que acaso así, acaso hacia el
final del viaje, me devolviera a ese comienzo en el que yo había esperado como
todavía era capaz de esperar.*

se le daba
como un admirable escenario sin los actores, sin la
savia de la participación. Mejor así, pero también
mucho peor; andar por las callejuelas, demorarse
en los pequeños puentes que cubren como un pár-
pado el sueño de los canales, empezaba a parecer
una pesadilla. Despertar, despertarse por cualquier
medio, pero Valentina sentía que sólo algo que se
pareciera a un látigo podría despertarla. Aceptó la
oferta de un gondolero que le proponía llevarla
hasta San Marco a través de los canales interiores;
sentada en el viejo sillón de cojines rojos sintió cómo Venecia empezaba a moverse delicadamente,
a pasar por ella que la miraba como un ojo fijo,
clavado obstinadamente en sí mismo.

—Ca d'Oro —dijo el gondolero rompiendo un largo silencio, y con la mano le mostró la fachada del palacio. Después, entrando por el Rio di San Felice, la góndola se sumió en un laberinto oscuro y silencioso, oliente a moho. Valentina admiraba como todo turista la impecable destreza del remero, su manera de calcular las curvas y sortear los obstáculos. Lo sentía a sus espaldas, invisible pero vivo, hundiendo el remo casi sin ruido, cambiando a veces una breve frase en dialecto con alguien de la orilla. Casi no lo había mirado al subir, le pareció como la mayoría de los gondoleros, alto y esbelto, ceñido el cuerpo por los angostos pantalones negros, la chaqueta vagamente española, el sombrero de paja amarilla con una cinta roja. Más bien recordaba su voz, dulce pero sin bajeza, ofreciendo: *Gondola, signorina, gondola, gondola.* Ella había aceptado el precio y el itinerario, distraídamente, pero ahora cuando el hombre le llamó la atención sobre el Ca d'Oro y tuvo que volverse para verlo, notó la fuerza de sus rasgos, la nariz casi imperiosa y los ojos pequeños y astutos; mezcla de soberbia y de cálculo, también presente en el vigor sin exageración del torso y la relativa pequeñez de la cabeza, con algo de víbora en el entronque del cuello, quizás en los movimientos impuestos por el remar cadencioso.

Mirando otra vez hacia proa, Valentina vio venir un pequeño puente. Ya antes se había dicho que sería delicioso el instante de pasar por debajo de los puentes, perdiéndose un momento en su concavidad rezumante de moho, imaginando a los viandantes en lo alto, pero ahora vio venir el puente con una vaga angustia como si fuera la tapa gigantesca de un arcón que iba a cerrarse sobre ella. Se obligó a guardar los ojos abiertos en el breve tránsito, pero sufrió, y cuando la angosta raja de cielo brillante surgió nuevamente sobre ella, hizo un confuso gesto de agradecimiento. El gondolero le estaba señalando otro palacio, de esos que sólo aceptan dejarse ver desde los canales interiores y que los transeúntes no sospechan puesto que sólo ven las puertas de servicio, iguales a tantas otras. A Valentina le hubiera gustado comentar, interesarse por la simple información que le iba dando el gondolero; de pronto necesitaba estar cerca de alguien vivo y ajeno a la vez, mezclarse en un diálogo que la alejara de esa ausencia, de esa nada que le viciaba el día y las cosas. Enderezándose, fue a sentarse en un ligero travesaño situado más a proa. La góndola osciló por un momento

Si la "ausencia" era Adriano, no encuentro proporción entre la conducta precedente de Valentina y esta angst *que le arruina un paseo en góndola, por lo demás nada baratos. Nunca sabré cómo*

habían sido sus noches venecianas en el
hotel, la habitación sin palabras ni re-
cuentos de jornada; tal vez la ausencia de
Adriano ganaba peso en Valentina, pero
una vez más como la máscara de otra
distancia, de otra carencia que ella no
quería o no podía mirar cara a cara.
(Wishful thinking acaso; pero, ¿y la ce-
lebérrima intuición femenina? La noche
en que tomamos al mismo tiempo un
pote de crema y mi mano se apoyó en la
suya, y nos miramos... ¿Por qué no
completé la caricia que el azar empezaba?
De alguna manera todo quedó como sus-
pendido en el aire, entre nosotras, y los
paseos en góndola son, es sabido, exhu-
madores de semisueños, de nostalgias y
de recuentos arrepentidos.)

pero el remero no pareció asombrarse de la
conducta de su pasajera. Y cuando ella le preguntó
sonriendo qué había dicho, él repitió sus informes
con más detalles, satisfecho del interés que des-
pertaba.

—¿Qué hay del otro lado de la isla? —quiso
saber Valentina en su italiano elemental.

—¿Del otro lado, signorina? ¿En la Fondamenta
Nuove?

—Si se llama así ... Quiero decir al otro lado,
donde no van los turistas.

—Sí, la Fondamenta Nuove —dijo el gondolero, que remaba ahora muy lentamente—. Bueno, de ahí salen los barcos para Burano y para Torcello.

—Todavía no he ido a esas islas.

—Es muy interesante, signorina. Las fábricas de puntillas. Pero este lado no es tan interesante, porque la Fondamenta Nuove...

—Me gusta conocer lugares que no sean turísticos —dijo Valentina repitiendo aplicadamente el deseo de todos los turistas—. ¿Qué más hay en la Fondamenta Nuove?

—En frente está el cementerio —dijo el gondolero—. No es interesante.

—¿En una isla?

—Sí, frente a la Fondamenta Nuove. Mire, signorina, ecco Santi Giovanni e Paolo. Bella chiesa, bellissima... Ecco il Colleone, capolavoro del Verrocchio...

"Turista", pensó Valentina. "Ellos y nosotros, unos para explicar y otros para creer que entendemos. En fin, miremos tu iglesia, miremos tu monumento, molto interessante, vero..."

Cuánto artificio barato, después de todo.
Se hace hablar y pensar a Valentina cuando
se trata de tonterías: lo otro, silencio
o atribuciones casi siempre dirigidas en

la mala dirección. ¿Por qué no escucha-
mos lo que Valentina pudo murmurar
antes de dormirse, por qué no sabemos
más de su cuerpo en la soledad, de su mi-
rada al abrir la ventana del hotel cada
mañana?

La góndola atracó en la Riva degli Schiavoni,
a la altura de la Piazzetta colmada de paseantes.
Valentina tenía hambre y se aburría por adelan-
tado pensando que iba a comer sola. El gondolero
la ayudó a desembarcar, recibió con una sonrisa
brillante el pago y la propina.

—Si la signorina quisiera pasear de nuevo, yo
estoy siempre allí. —Señalaba un atracadero distante, marcado por cuatro pértigas con faroli-
llos.— Me llamo Dino —agregó, tocándose la cinta del sombrero.

—Gracias —dijo Valentina. Iba a alejarse, a
hundirse en la marea humana entre gritos y foto-
grafías. Ahí quedaría a sus espaldas el único ser
viviente con el que había cambiado unas palabras.

—Dino.

—¿Signorina?

—Dino... ¿Dónde se puede comer bien?

El gondolero rió francamente, pero miraba a
Valentina como si comprendiera al mismo tiempo
que la pregunta no era una estupidez de turista.

—¿La signorina conoce los ristoranti sobre el

Canal? —preguntó un poco como al azar, tan-
teando.

—Sí —dijo Valentina que no los conocía—.
Quiero decir un lugar tranquilo, sin mucha gente.

—¿Sin mucha gente... como la signorina?
—dijo brutalmente el hombre.

Valentina le sonrió, divertida. Dino no era tonto, por lo menos.

—Sin turistas, sí. Un lugar como...

"Allí donde comen tú y tus amigos", pensaba,
pero no lo dijo. Sintió que el hombre apoyaba los
dedos en su codo, sonriendo, y la invitaba a subir
a la góndola. Se dejó llevar, casi intimidada, pero
la sombra del aburrimiento se borró de golpe como
arrastrada por el gesto de Dino al clavar la pala
del remo en el fondo de la laguna e impulsar la
góndola con un limpio gesto en el que apenas se
advertía el esfuerzo.

Imposible recordar la ruta. Habían pasado bajo
el Ponte dei Sospiri pero después todo era confuso. Valentina cerraba a ratos los ojos y se dejaba
llevar por otras vagas imágenes que desfilaban pa-
ralelamente a lo que renunciaba a ver. El sol de
mediodía alzaba en los canales un vapor maloliente,
y todo se repetía, los gritos a la distancia, las seña-
les convenidas en los recodos. Había poca gente
en las calles y los puentes de esa zona, Venecia
ya estaba almorzando. Dino remaba con fuerza y
acabó metiendo la góndola en un canal angosto
y recto, al fondo del cual se entreveía el gris ver-

doso de la laguna. Valentina se dijo que allá debía estar la Fondamenta Nuove, la orilla opuesta, el lugar que no era interesante. Iba a volverse y preguntar cuando sintió que la barca se detenía junto a unos peldaños musgosos. Dino silbó largamente, y una ventana en el segundo piso se abrió sin ruido.

—Es mi hermana —dijo—. Vivimos aquí. ¿Quiere comer con nosotros, signorina?

La aceptación de Valentina se adelantó a su sorpresa, a su casi irritación. El desparpajo del hombre era de los que no admitían términos medios; Valentina podía haberse negado con la misma fuerza con que acababa de aceptar. Dino la ayudó a subir los peldaños y la dejó esperando mientras amarraba la góndola. Ella lo oía canturrear en dialecto, con una voz un poco sorda. Sintió una presencia a su espalda y se volvió; una mujer de edad indefinible, mal vestida de rosa viejo, se asomaba a la puerta. Dino le dijo unas rápidas frases ininteligibles.

—La signorina es muy gentil —agregó en toscano—. Hazla pasar, Rosa.

Y ella va a entrar, claro. Cualquier cosa con tal de seguir escapando, de seguir mintiéndose. Life, lie, ¿no era un personaje de O'Neill que mostraba cómo la

vida y la mentira están apenas separadas
por una sola, inocente letra?

Comieron en una habitación de techo bajo, lo
que sorprendió a Valentina ya habituada a los
grandes espacios italianos. En la mesa de madera
negra había lugar para seis personas. Dino, que
se había cambiado de camisa sin borrar con eso el
olor a transpiración, se sentaba frente a Valentina.
Rosa estaba a su izquierda. A la derecha el gato
favorito, que los ayudó con su digna belleza a
romper el hielo del primer momento. Había *pasta
asciutta*, un gran frasco de vino, y pescado. Valentina lo encontró todo excelente, y estaba casi contenta de lo que su amortiguada reflexión seguía
considerando una locura.

—La signorina tiene buen apetito —dijo Rosa,
que casi no hablaba—. Coma un poco de queso.

—Sí, gracias.

Dino comía ávidamente, mirando más al plato
que a Valentina, pero ella tuvo la impresión de
que la observaba de alguna manera, sin hacerle
preguntas; ni siquiera había preguntado por su
nacionalidad, al revés de casi todos los italianos.
A la larga, pensó Valentina, una situación tan
absurda tiene que estallar. ¿Qué se dirían cuando
el último bocado fuera consumido? Ese momento
terrible de una sobremesa entre desconocidos. Aca-

rició al gato, le dio a probar un trocito de queso.
Dino reía ahora, su gato no comía más que pescado.

—¿Hace mucho que es gondolero? —preguntó
Valentina, buscando una salida.

—Cinco años, signorina.

—¿Le gusta?

—Non si sta male.

—De todos modos no parece un trabajo tan
duro.

—No . . . ése no.

"Entonces se ocupa de otras cosas", pensó ella.
Rosa le servía vino otra vez, y aunque se negaba
a beber más, los hermanos insistieron sonriendo
y llenaron las copas. "El gato no bebe", dijo Dino
mirándola en los ojos por primera vez en mucho
rato. Los tres rieron.

Rosa salió y volvió con un plato de frutillas.
Después Dino aceptó un *Camel* y dijo que el tabaco italiano era malo. Fumaba echado hacia
atrás, entornando los ojos; el sudor le corría por
el cuello tenso, bronceado.

—¿Queda muy lejos de aquí mi hotel? —preguntó Valentina—. No quiero seguir molestán-
dolos.

"En realidad yo debería pagar este almuerzo",
pensaba, debatiendo el problema y sin saber cómo
resolverlo. Nombró su hotel, y Dino dijo que la
llevaría. Hacía un momento que Rosa no estaba
en el comedor. El gato, tendido en un rincón, se

adormecía en el calor de la siesta. Olía a canal, a casa vieja.

—Bueno, ustedes han sido tan amables... —dijo Valentina, corriendo la tosca silla y levantándose—. Lástima que no sé decirlo en buen italiano... De todos modos usted me comprende.

—Oh, claro —dijo Dino sin moverse.

—Me gustaría saludar a su hermana, y...

—Oh, Rosa. Ya se habrá ido. Siempre se va a esta hora.

Valentina recordó el breve diálogo incomprensible, a mitad del almuerzo. Era la única vez que habían hablado en dialecto, y Dino le había pedido disculpas. Sin saber por qué pensó que la partida de Rosa nacía de ese diálogo, y sintió un poco de miedo y también de vergüenza por tener miedo.

Dino se levantó a su vez. Recién entonces vio ella lo alto que era. Los ojillos miraban hacia la puerta, la única puerta. La puerta daba a un dormitorio (los hermanos se habían disculpado al hacerla pasar por ahí camino del comedor). Valentina levantó su sombrero de paja y el bolso. "Tiene un hermoso pelo", pensó sin palabras. Se sentía intranquila y a la vez segura, ocupada. Era mejor que el amargo hueco de toda aquella mañana; ahora había algo, enfrentaba confiadamente a alguien.

—Lo siento mucho —dijo—, me hubiera gustado saludar a su hermana. Gracias por todo.

Tendió la mano, y él la estrechó sin apretar, sol-

tándola en seguida. Valentina sintió que la vaga
inquietud se disipaba ante el gesto rústico, lleno de
timidez. Avanzó hacia la puerta, seguida por Dino.
Entró en la otra habitación, distinguiendo apenas
los muebles en la penumbra. ¿No estaba a la derecha la puerta de salida al pasillo? Oyó a su espalda
que Dino acababa de cerrar la puerta del comedor.
Ahora la habitación parecía mucho más oscura.
Con un gesto involuntario se volvió para esperar
que él se adelantara. Una vaharada de sudor la en-
volvió un segundo antes de que los brazos de Dino
la apretaran brutalmente. Cerró los ojos, resistién-
dose apenas. De haber podido lo hubiera matado
en el acto, golpeándolo hasta hundirle la cara, des-
hacerle la boca que la besaba en la garganta mientras una mano corría por su cuerpo contraído.
Trató de soltarse, y cayó bruscamente hacia atrás,
en la sombra de una cama. Dino se dejó resbalar
sobre ella, trabándole las piernas, besándola en plena boca con labios húmedos de vino. Valentina
volvió a cerrar los ojos. "Si por lo menos se hubiera
bañado", pensó, dejando de resistir. Dino la mantuvo todavía un momento prisionera, como asom-
brado de ese abandono. Después, murmurando y
besándola, se incorporó sobre ella y buscó con dedos torpes el cierre de la blusa.

*Perfecto, Valentina. Como lo enseña la
sagesse anglosajona que ha evitado así
muchas muertes por estrangulación, lo
único que cabía en esa circunstancia era
el inteligente* relax and enjoy it —

A las cuatro, con el sol todavía alto, la góndola
atracó frente a San Marco. Como la primera vez,
Dino ofreció el antebrazo para que Valentina se
apoyara, y se mantuvo como a la espera, mirándola en los ojos.

—A rivederci —dijo Valentina, y echó a andar.

—Esta noche estaré ahí —dijo Dino señalando
el atracadero—. A las diez.

Valentina fue directamente al hotel y reclamó
un baño caliente. Nada podía ser más importante
que eso, quitarse el olor de Dino, la contaminación
de ese sudor, de esa saliva que la manchaban. Con
un quejido de placer resbaló en la bañera humeante, y por largo rato fue incapaz de tender la mano
hacia la pastilla de jabón verde. Después, aplicadamente, al ritmo de su pensamiento que volvía
poco a poco, empezó a lavarse.

El recuerdo no era penoso. Todo lo que había
tenido de sórdido como preparación parecía bo-
rrarse frente a la cosa misma. La habían engañado,
atraído a una trampa estúpida, pero era demasiado
inteligente para no comprender que ella misma

había tejido la red. En esa confusa maraña de recuerdos le repugnaba sobre todo Rosa, la figura evasiva de la cómplice que ahora, a la luz de lo ocurrido, resultaba difícil creer la hermana de Dino. Su esclava, mejor, su amante complaciente por necesidad, para conservarlo todavía un poco.

Se estiró en el baño, dolorida. Dino se había conducido como lo que era, reclamando rabiosamente su placer sin consideraciones de ninguna especie. La había poseído como un animal, una y otra vez, exigiéndole torpezas que no hubieran sido tales si él hubiera tenido el mínimo de gentileza. Y Valentina no lo lamentaba, ni lamentaba el olor a viejo de la cama revuelta, el jadeo de perro de Dino, la vaga tentativa de reconciliación posterior (porque Dino tenía miedo, medía ya las posibles consecuencias de su atropello a una extranjera). En realidad no lamentaba nada que no fuera la falta de gracia de la aventura. Y quizá ni eso lamentaba, la brutalidad había estado ahí como el ajo en los guisos populares, el requisito indispensable y sabroso.

La divertía, un poco histéricamente

Pero no, ninguna histeria. Sólo yo podía ver aquí la expresión de Valentina la noche en que le conté la historia de mi condiscípula Nancy en Marruecos, una situación equivalente pero mucho más torpe,

con su violador islámicamente defrauda-
do al enterarse de que Nancy estaba en
pleno período menstrual, y obligándola
a bofetadas y latigazos a cederle la otra
vía. (No encontré lo que buscaba al con-
társelo, pero le vi unos ojos como de loba,
apenas un instante antes de rechazar el
tema y buscar como siempre el pretexto
del cansancio y el sueño.) Acaso si Adria-
no hubiera procedido como Dino, sin el
ajo y el sudor, hábil y bello. Acaso si yo,
en vez de dejarla irse al sueño...

pensar que
Dino, mientras con manos absurdamente torpes
trataba de ayudarla a vestirse, había pretendido
ternuras de amante, demasiado grotescas para que
él mismo creyera en ellas. La cita, por ejemplo, al
despedirla en San Marcos, era ridícula. Imaginarse
que ella podía volver a su casa, entregársele a sangre fría... No le causaba la menor inquietud,
estaba segura de que Dino era un individuo excelente a su manera, que no había sumado el robo a
la violación, lo cual hubiera sido fácil, y hasta
admitía en lo sucedido un tono más normal, más
lógico que en su encuentro con Adriano.

¿Ves, Dora, ves, estúpida?

Lo terrible era darse cuenta hasta qué punto Dino estaba lejos de ella, sin la menor posibilidad de comunicación. Con el último gesto del placer empezaba el silencio, la turbación, la comedia ridícula. Era una ventaja, al fin y al cabo, de Dino no necesitaba huir como de Adriano. Ningún peligro de enamorarse; ni siquiera él se enamoraría, por supuesto. ¡Qué libertad! Con toda su mugre, la aventura no la disgustaba, sobre todo después de haberse jabonado.

A la hora de cenar llegó Dora de Padua, bullente de noticias sobre Giotto y Altichiero. Encontró que Valentina estaba muy bien, y dijo que Adriano había hablado vagamente de renunciar a su viaje a Lucca, pero que después lo había perdido de vista. "Yo diría que se ha enamorado de ti", soltó al pasar, con su risa de soslayo. Le encantaba Venecia de la que aún no había visto nada, y se jactaba de deducir las maravillas de la ciudad por la sola conducta de los camareros y los *facchini*. "Tan fino todo, tan fino", repetía saboreando sus camarones.

Con perdón de la palabra, en mi puta vida he dicho una frase semejante. ¿Qué clase de ignorada venganza habita esto?

> *O bien (sí, empiezo a adivinarlo, a creer-*
> *lo) todo nace de un subconsciente que*
> *también ha hecho nacer a Valentina, que*
> *desconociéndola en la superficie y equivo-*
> *cándose todo el tiempo sobre sus conduc-*
> *tas y sus razones, acierta sin saberlo en*
> *las aguas profundas, allí donde Valentina*
> *no ha olvidado Roma, el mostrador de la*
> *agencia, la aceptación de compartir un*
> *cuarto y un viaje. En esos relámpagos que*
> *nacen como peces abisales para asomar un*
> *segundo sobre las aguas, yo soy delibera-*
> *damente deformada y ofendida, me vuelvo*
> *lo que me hacen decir.*

Se habló de *Venice by night*, pero Dora estaba rendida por las bellas artes y se fue al hotel después de dos vueltas a la plaza. Valentina cumplió el ritual de beber un oporto en el *Florian*, y esperó a que fueran las diez. Mezclada con la gente que comía helados y sacaba fotos con flash, atisbó el embarcadero. Había sólo dos góndolas de ese lado, con los faroles encendidos. Dino estaba en el muelle, junto a una pértiga. Esperaba.

"Realmente cree que voy a ir", pensó casi sorprendida. Un matrimonio con aire inglés se acercaba al gondolero. Valentina vio que se quitaba el sombrero y ofrecía la góndola. Los otros se embarcaron casi en seguida; el farolillo temblaba en la noche de la laguna.

Vagamente inquieta, Valentina se volvió al hotel.

La luz de la mañana la lavó de los malos sueños pero sin quitarle la sensación como de náusea, la opresión en la boca del estómago. Dora la esperaba en el salón para desayunar, y Valentina se servía té cuando un camarero vino a la mesa.

—Afuera está el gondolero de la signorina.

—¿Gondolero? No he pedido ninguna góndola.

—El hombre dio las señas de la signorina.

Dora la miraba curiosa, y Valentina se sintió bruscamente desnuda. Hizo un esfuerzo para beber un trago de té, y se levantó después de dudar un momento. Divertida, Dora encontró que sería gracioso mirar la escena desde la ventana. Vio al gondolero, a Valentina que le iba al encuentro, el saludo cortado pero decidido del hombre. Valentina le hablaba casi sin gestos, pero le vio alzar una mano como rogando —claro que no podía ser— algo que el otro se negaba a otorgar. Después fue él quien habló moviendo los brazos a la italiana. Valentina parecía esperar que se fuera, pero el otro insistía, y Dora se quedó el tiempo suficiente para ver cómo Valentina miraba por fin su reloj pulsera y hacía un gesto de asentimiento.

—Me había olvidado completamente —explicó al volver—, pero un gondolero no olvida a sus clientes. ¿No vas a salir, tú?

—Sí, claro —dijo Dora—. ¿Todos son tan buenos mozos como los que se ven en el cine?

—Todos, naturalmente —dijo Valentina sin sonreír. La osadía de Dino la había dejado tan estupefacta que le costaba sobreponerse. Por un momento la inquietó la idea de que Dora le propondría sumarse al paseo; tan lógico y tan Dora. "Pero esa sería precisamente la solución", se dijo. "Por bruto que sea no va a animarse a hacer un escándalo. Es un histérico, se ve, pero no tonto."

Dora no dijo nada, aunque le sonreía con una amabilidad que a Valentina le pareció vagamente repugnante. Sin saber bien por qué, no le propuso tomar juntas la góndola. Era extraordinario cómo en esas semanas las cosas importantes las hacía todas sin saber por qué.

Tu parles, ma fille. *Lo que parecía increíble se coaguló en simple evidencia apenas me dejaron fuera del paseíto. Claro que eso no podía tener importancia, apenas un paréntesis de consuelo barato y enérgico sin el menor riesgo futuro. Pero era la recurrencia a bajo nivel de la misma comprobación: Adriano o un góndolero, y yo una vez más la outsider. Todo eso valía otra taza de té y preguntarse si no quedaba todavía algo por hacer para perfeccionar la pequeña relojería que ya había puesto en marcha —oh,*

con toda inocencia— antes de irme de
Florencia.

Dino la condujo por el Canal Grande hasta más
allá del Rialto, eligiendo amablemente el recorrido
más extenso. A la altura del palacio Valmarana
entraron por el Rio dei Santi Apostoli y Valentina, mirando obstinada hacia adelante, vio venir
otra vez, uno tras otro, los pequeños puentes negros hormigueantes. Le costaba convencerse de
que estaba de nuevo en esa góndola, apoyando la
espalda en el vetusto almohadón rojo. Un hilo de
agua corría por el fondo; agua del canal, agua
de Venecia. Los famosos carnavales. El Dogo se
casaba con el mar. Los famosos palacios y carnavales de Venecia. *Vine a buscarla porque usted no
fue a buscarme anoche. Quiero llevarla en la góndola.* El Dogo se casaba con el mar. Con una frescura perfecta. Frescura. Y ahora la estaba llevando
en la góndola, lanzando de vez en cuando un grito
entre melancólico y huraño antes de enfilar un
canal interior. A lo lejos, todavía muy lejos, Valentina atisbó la franja abierta y verde. Otra vez
la Fondamenta Nuove. Era previsible, los cuatro
peldaños mohosos, reconocía el sitio. Ahora él iba
a silbar y Rosa se asomaría a la ventana.

Lírico y obvio. Faltan los papeles de As-
pern, el barón Corvo y Tadzio, el bello
Tadzio y la peste. Falta también una
cierta llamada telefónica a un hotel cerca
del teatro La Fenice, aunque no es culpa
de nadie (quiero decir la ausencia del de-
talle, no la llamada telefónica).

Pero Dino
arrimaba la góndola en silencio y esperaba. Valentina se volvió por primera vez desde que embar-
cara y lo miró. Dino sonreía hermosamente. Tenía
unos estupendos dientes, que con un poco de den-
tífrico hubieran quedado perfectos.

"Estoy perdida", pensó Valentina, y saltó al
primer escalón sin apoyarse en el antebrazo que él
le tendía.

¿Lo pensó de verdad? Habría que tener
cuidado con las metáforas, las figuras elo-
cutivas o como se llamen. También eso
viene de abajo; si yo lo hubiera sabido
en ese momento, tal vez no hubiera...
Pero tampoco a mí me estaba dado entrar
en el más allá del tiempo.

Cuando bajó a cenar, Dora la esperaba con la noticia de que (aunque no estaba del todo segura) había visto a Adriano entre los turistas de la Piazza.

—Muy de lejos, en una de las recovas, sabes. Pienso que era él por ese traje claro un poco ajustado. A lo mejor llegó esta tarde... Persiguiéndote, supongo.

—Oh, vamos.

—¿Por qué no? Este no era su itinerario.

—Tampoco estás segura de que sea él —dijo hostilmente Valentina. La noticia no le había chocado demasiado, pero echaba a andar la maquinaria lamentable de las ideas. "Otra vez eso", pensó. "Otra vez." Se lo encontraría, era seguro, en Venecia se vive como dentro de una botella, todo el mundo termina por reconocerse en la Piazza o en el Rialto. Huir de nuevo, pero por qué. Estaba harta de huir de la nada, de no saber de qué huía y si realmente estaba huyendo o hacía lo que las palomas ahí al alcance de sus ojos, las palomas que fingían hurtarse al asalto envanecido de los machos y al fin consentían blandamente, en un plomizo rebullir de plumas.

—Tomemos el café en el *Florian* —propuso Dora—. A lo mejor lo encontramos, es tan buen muchacho.

Lo vieron casi en seguida, estaba de espaldas a la plaza bajo los arcos de la recova, abstraído en la contemplación de unos horrendos cristales de Mu-

rano. Cuando el saludo de Dora lo hizo volverse,
su sorpresa era tan mínima, tan civil, que Valentina se sintió aliviada. Nada de teatro, por lo menos. Adriano saludó a Dora con su cortesía distante, y estrechó la mano de Valentina.

—Vaya, entonces es cierto que el mundo es
pequeño. Nadie escapa a la Guía Azul, un día u
otro.

—Nosotras no, por lo menos.

—Ni a los helados de Venecia. ¿Puedo invi-
tarlas?

Casi en seguida Dora hizo el gasto de la conver-
sación. Tenía en su haber dos o tres ciudades más
que ellos, y naturalmente buscaba arrollarlos con
el catálogo de todo lo que se habían perdido.
Valentina hubiera querido que sus temas no se
acabaran nunca o que Adriano se decidiera por
fin a mirarla de lleno, a hacerle el peor de los re-
proches, los ojos que se clavan en la cara con algo
que siempre es más que una acusación o un reproche. Pero él comía aplicadamente su helado o
fumaba con la cabeza un poco inclinada —su bella
cabeza sudamericana—, atento a cada palabra de
Dora. Sólo Valentina podía medir el ligero temblor de los dedos que apretaban el cigarrillo.

*Yo también, mi querida, yo también. Y
no me gustaba nada porque esa calma es-*

condía algo que hasta ahora no me había parecido tan violento, ese resorte tenso como a la espera del gatillo que lo liberaría. Tan diferente de su tono casi glacial y matter of fact en el teléfono. Por el momento yo quedaba fuera del juego, nada podía hacer para que las cosas ocurrieran como las había esperado. Prevenir a Valentina... Pero era mostrarle todo, volver a la Roma de esas noches en que ella había resbalado, alejándose, dejándome libre la ducha y el jabón, acostándose de espaldas a mí, murmurando que tenía tanto sueño, que ya estaba medio dormida.

La charla se hizo circular, vino el cotejo de museos y de pequeños infortunios turísticos, más helados y tabaco. Se habló de recorrer juntos la ciudad a la mañana siguiente.

—Quizá —dijo Adriano— molestaremos a Valentina que prefiere andar sola.

—¿Por qué me incluye a mí? —rió Dora—. Valentina y yo nos entendemos a fuerza de no entendernos. Ella no comparte su góndola con nadie, y yo tengo unos canalitos que son solamente míos. Haga la prueba de entenderse así con ella.

—Siempre se puede hacer una prueba —dijo Adriano—. En fin, de todas maneras pasaré por el hotel a las diez y media, y ustedes ya habrán decidido o decidirán.

Cuando subían (tenían habitaciones en el mismo piso), Valentina apoyó una mano en el brazo de Dora.

Fue la última vez que me tocaste. Así, como siempre, apenas.

—Quiero pedirte un favor.

—Claro.

—Déjame salir sola con Adriano mañana por la mañana. Será la única vez.

Dora buscaba la llave que había dejado caer en el fondo del bolso. Le llevó tiempo encontrarla.

—Sería largo de explicar ahora —agregó Valentina—, pero me harás un favor.

—Sí, por supuesto —dijo Dora abriendo su puerta—. Tampoco a él quieres compartirlo.

—¿Tampoco a él? Si piensas...

—Oh, no es más que una broma. Que duermas bien.

Ahora ya no importa, pero cuando cerré la puerta me hubiera clavado las uñas en plena cara. No, ahora ya no importa; pero si Valentina hubiera atado cabos...

*Ese "tampoco a él" era la punta del ovi-
llo; ella no se dio cuenta del todo, lo dejó
escapar en la confusión en que estaba viviendo. Mejor para mí, desde luego, pero
quizás... En fin, realmente ahora ya no
importa; a veces basta con el valium.*

Valentina lo esperó en el *lobby* y a Adriano no
se le ocurrió siquiera preguntar por la ausencia de
Dora; como en Florencia o Roma, no parecía demasiado sensible a su presencia. Caminaron por la
calle Orsolo, mirando apenas el pequeño lago interior donde dormían las góndolas por la noche, y
tomaron en dirección del Rialto. Valentina iba un
poco adelante, vestida de claro. No habían cambiado más que dos o tres frases rituales pero al
entrar en una calleja (ya estaban perdidos, ninguno
de los dos miraba su mapa), Adriano se adelantó
y la tomó del brazo.

—Es demasiado cruel, sabes. Hay algo de ca-
nalla en lo que has hecho.

—Sí, ya lo sé. Yo empleo palabras peores.

—Irte así, mezquinamente. Sólo porque una golondrina se muere en el balcón. Histéricamente.

—Reconoce —dijo Valentina— que la razón, si
es esa, era poética.

prolongando lo que habían creído una explicació
y no pasaba de dos monólogos.

—Es absurdo —murmuró al fin Valentina, s
dejar de mirar la góndola que se acercaba poco
poco—. ¿Por qué tengo que ser como tú? ¿N
estaba bien claro que no quería verte más?

—En el fondo me quieres —dijo grotescamen
Adriano—. No puede ser que no me quieras.

—¿Por qué no puede ser?

—Porque eres distinta a tantas otras. No
entregaste como una cualquiera, como una histé
ca que no sabe qué hacer en un viaje.

—Tú supones que yo me entregué, pero yo p
dría decir que fuiste tú quien se entregó. Las vie
ideas sobre las mujeres, cuando . . .

Etcétera.

                              Pero no gar
mos nada con esto, Adriano, todo es tan inú
O me dejas sola hoy mismo, ahora mismo, o yo
voy de Venecia.

—Te seguiré —dijo él, casi con petulancia.

—Nos pondremos en ridículo los dos. ¿No se
mejor que . . . ?

Cada palabra de ese hablar sin sentido se le v
vía penosa hasta la náusea. Fachada de diálo

—Valentina . . .

—Ah, basta —dijo ella—. Vayamos a un sitio tranquilo y hablemos de una vez.

—Vamos a mi hotel.

—No, a tu hotel no.

—A un café, entonces.

—Están llenos de turistas, lo sabes. Un sitio tranquilo, que no sea interesante . . . —Vaciló porque la frase le traía un nombre.— Vamos a la Fondamenta Nuove.

—¿Qué es eso?

—La otra orilla, al norte. ¿Tienes un plano? Por aquí, eso es. Vamos.

Más allá del teatro Malibrán, callejas sin comercios, con hileras de puertas siempre cerradas, algún niño mal vestido jugando en los umbrales, llegaron a la calle del Fumo y vieron ya muy cerca el brillo de la laguna. Se desembocaba bruscamente, saliendo de la penumbra gris, a una costanera deslumbrante de sol, poblada de obreros y vendedores ambulantes. Algunos cafés de mal aspecto se adherían como lapas a las casillas flotantes de donde salían los vaporettos a Burano y al cementerio. Valentina había visto en seguida el cementerio, se acordaba de la explicación de Dino. La pequeña isla, su paralelogramo rodeado hasta donde alcanzaba a verse por una muralla rojiza. Las copas de los árboles funerarios sobresalían como un festón oscuro. Se veía con toda claridad el muelle de desembarco, pero en ese momento la isla parecía no contener más que a los muertos; ni una barca, nadie en los peldaños de mármol del muelle. Y todo ardía secamente bajo el sol de las once.

Indecisa, Valentina echó a andar hacia la derecha. Adriano la seguía hoscamente, casi sin mirar a su alrededor. Cruzaron un puente bajo el cual uno de los canales interiores comunicaba con la laguna. El calor se hacía sentir, sus moscas invisibles en la cara. Venía otro puente de piedra blanca, y Valentina se detuvo en lo alto del arco, apoyándose en el pretil, mirando hacia el interior de la ciudad. Si en algún lugar había que hablar, que fuera ése tan neutro, tan poco interesante, con el cementerio a la espalda y el canal que penetraba profundamente en Venecia, separando orillas sin gracia, casi desiertas.

—Me fui —dijo Valentina— porque eso no tenía sentido. Déjame hablar. Me fui porque de todas maneras uno de los dos tenía que irse, y tú estás dificultando las cosas, sabiendo de sobra que uno de los dos tenía que irse. ¿Qué diferencia hay, como no sea de tiempo? Una semana antes o después...

—Para ti no hay diferencia —dijo Adriano—. Para ti es exactamente lo mismo.

—Si te pudiera explicar... Pero nos vamos a quedar en las palabras. ¿Por qué me seguiste? ¿Qué sentido tiene esto?

Si hizo esas preguntas, me queda por lo menos el saber que no me imaginó mezclada con la presencia de Adriano en Venecia. Detrás, claro, la amargura de siempre: esa tendencia a ignorarme, a ni siquiera sospechar que había una tercera mano mezclando las cartas.

—Ya sé que no tiene ningún sentido —dijo Adriano—. Es así, nada más.

—No debiste venir.

—Y tú no debiste irte así, abandonándome como...

—No uses las grandes palabras, por favor. ¿Cómo puedes llamar abandono a algo que no era más que lo normal al fin y al cabo? La vuelta a lo normal, si prefieres.

—Todo es tan normal para ti —dijo él rabiosamente. Le temblaban los labios, y apretó las manos en el pretil como para calmarse con el contacto blanco e indiferente de la piedra.

Valentina miraba el fondo del canal, viendo avanzar una góndola más grande que las comunes todavía imprecisa a la distancia. Temía encontrar los ojos de Adriano y su único deseo era que él marchara, que la cubriera de insultos si era necesario y después se marchara. Pero Adriano seguía ahí en la perfecta voluptuosidad de su sufrimiento

mano de pintura bajo la cual se estancaba algo
inútil y corrompido como las aguas del canal. A
mitad de la pregunta Valentina empezaba a darse
cuenta de que la góndola era distinta de las otras.
Más ancha, como una barcaza, con cuatro remeros
de pie sobre los travesaños donde algo parecía al-
zarse como un catafalco negro y dorado. Pero *era*
un catafalco, y los remeros estaban de negro, sin
los alegres sombreros de paja. La barca había llegado hasta el muelle junto al cual corría un edifi-
cio pesado y mortecino. Había un embarcadero
frente a algo que parecía una capilla. "El hospital",
pensó. "La capilla del hospital." Salía gente, un
hombre llevando coronas de flores que arrojó distraídamente en la barca de la muerte. Otros apare-
cían ya con el ataúd, y empezó la maniobra del
embarque. El mismo Adriano parecía absorbido
por el claro horror de eso que estaba ocurriendo
bajo el sol de la mañana, en la Venecia que no era
interesante, adonde no debían ir los turistas. Valentina le oyó murmurar algo, o quizá era como
un sollozo contenido. Pero no podía apartar los
ojos de la barca, de los cuatro remeros que esperaban con los remos clavados para que los otros pudieran meter el féretro en el nicho de cortinas negras. En la proa se veía un bulto brillante en vez
del adorno dentado y familiar de las góndolas.
Parecía un enorme buho de plata, un mascarón
con algo de vivo, pero cuando la góndola avanzó
por el canal (la familia del muerto estaba en el

muelle, y dos muchachos sostenían a una anciana) se vio que el buho era una esfera y una cruz plateadas, lo único claro y brillante en toda la barca. Avanzaba hacia ellos, iba a pasar bajo el puente, exactamente bajo sus pies. Hubiera bastado un salto para caer sobre la proa, sobre el ataúd. El puente parecía moverse ligeramente hacia la barca ("¿Entonces no vendrás conmigo?") tan fijamente miraba Valentina la góndola que los remeros movían lentamente.

—No, no iré. Déjame sola, déjame en paz.

No podía decir otra cosa entre tantas que hubiera podido decir o callar, ahora que sentía el temblor del brazo de Adriano contra el suyo, lo escuchaba repetir la pregunta y respirar con esfuerzo, como si jadeara. Pero tampoco podía mirar otra cosa que la barca cada vez más cerca del puente. Iba a pasar bajo el puente, casi contra ellos, saldría por el otro lado a la laguna abierta y cruzaría como un lento pez negro hasta la isla de los muertos, llevando otro ataúd, amontonando otro muerto en el pueblo silencioso detrás de las murallas rojas. Casi no la sorprendió ver que uno de los remeros era Dino,

¿Habrá sido cierto, no se está abusando de un azar demasiado gratuito? Imposible saberlo ya, como también imposible

saber por qué Adriano no le reprochaba
su aventura barata. Pienso que lo hizo,
que ese diálogo de puras nadas que sub-
tiende la escena no fue el real, el que nacía de otros hechos y llevaba a algo que
sin él parece inconcebible por extremo,
por horrible. Vaya a saber, quizá él calló
lo que sabía para no delatarme; sí, ¿pero
qué importancia iba a tener su delación
si casi en seguida...? Valentina, Valentina, Valentina, la delicia de que me lo
reprocharas, de que me insultaras, de que
estuvieras ahí injuriándome, de que fueras tú gritándome, el consuelo de volver
a verte Valentina, de sentir tus bofetadas,
tu saliva en mi cara... (Un comprimido
entero, esta vez. Ahora mismo, m'hijita.)

el más alto, en la popa, y que Dino la
había visto y había visto a Adriano a su lado, y
que había dejado de remar para mirarla, alzando
hacia ella los ojillos astutos llenos de interrogación
y probablemente ("no insistas, por favor") de ra-
bia celosa. La góndola estaba a pocos metros, se
veía cada clavo de cabeza plateada, cada flor, y los
modestos herrajes del ataúd. ("Me haces daño, déjame.") Sintió en el codo la presión insoportable
de los dedos de Adriano, y cerró por un segundo
los ojos pensando que iba a golpearla. La barca
pareció huir bajo sus pies, y la cara de Dino (asom-

brada, sobre todo, era cómico pensar que el pobre imbécil también se había hecho ilusiones) resbaló vertiginosamente, se perdió bajo el puente. "Ahí voy yo", alcanzó a decirse Valentina, ahí iba ella en ese ataúd, más allá de Dino, más allá de esa mano que le apretaba brutalmente el brazo. Sintió que Adriano hacía un movimiento como para sacar algo, quizá los cigarrillos con el gesto del que busca ganar tiempo, prolongarlo a toda costa. Los cigarrillos o lo que fuera, qué importaba ya si ella iba embarcada en la góndola negra, camino de su isla sin miedo, aceptando por fin la golondrina.

REUNIÓN CON UN CÍRCULO ROJO

A Borges

A mí me parece, Jacobo, que esa noche usted debía tener mucho frío, y que la lluvia empecinada de Wiesbaden se fue sumando para decidirlo a entrar en el *Zagreb*. Quizá el apetito fue la razón dominante, usted había trabajado todo el día y ya era tiempo de cenar en algún lugar tranquilo y callado; si al *Zagreb* le faltaban otras cualidades, reunía en todo caso esas dos y usted, pienso que encogiéndose de hombros como si se tomara un poco el pelo, decidió cenar ahí. En todo caso las mesas sobraban en la penumbra del salón vagamente balcánico, y fue una buena cosa poder colgar el impermeable empapado en el viejo perchero y buscar ese rincón donde la vela verde de la mesa removía blandamente las sombras y dejaba entrever antiguos cubiertos y una copa muy alta donde la luz se refugiaba como un pájaro.

Primero fue esa sensación de siempre en un restaurante vacío, algo entre molestia y alivio; por su aspecto no debía ser malo, pero la ausencia de clientes a esa hora daba que pensar. En una ciudad extranjera esas meditaciones no duran mucho, qué sabe uno de costumbres y de horarios, lo que cuenta es el calor, el menú donde se proponen sorpresas o reencuentros, la diminuta mujer de grandes ojos y pelo negro que llegó como desde la nada, dibujándose de golpe junto al mantel blanco, una leve sonrisa fija a la espera. Pensó que acaso ya era demasiado tarde dentro de la rutina de la ciudad pero casi no tuvo tiempo de alzar una mirada de interrogación turística; una mano pequeña y pálida depositaba una servilleta y ponía en orden el salero fuera de ritmo. Como era lógico usted eligió pinchitos de carne con cebolla y pimientos rojos, y un vino espeso y fragante que nada tenía de occidental; como a mí en otros tiempos, le gustaba escapar a las comidas del hotel donde el temor a lo demasiado típico o exótico se resuelve en insipidez, e incluso pidió el pan negro que acaso no convenía a los pinchitos pero que la mujer le trajo inmediatamente. Sólo entonces, fumando un primer cigarrillo, miró con algún detalle el enclave transilvánico que lo protegía de la lluvia y de una ciudad alemana no excesivamente interesante. El silencio, las ausencias y la vaga luz de las bujías eran ya casi sus amigos, en todo caso lo distanciaban del resto y lo dejaban hermosamente solo con su cigarrillo y su cansancio.

La mano que vertía el vino en la alta copa estaba cubierta de pelos, y a usted le llevó un sobresaltado segundo romper la absurda cadena lógica y comprender que la mujer pálida ya no estaba a su lado y que en su lugar un camarero atezado y silencioso lo invitaba a probar el vino con un gesto en el que sólo parecía haber una espera automática. Es raro que alguien encuentre malo el vino, y el camarero terminó de llenar la copa como si la interrupción no fuera más que una mínima parte de la ceremonia. Casi al mismo tiempo otro camarero curiosamente parecido al primero (pero los trajes típicos, las patillas negras, los uniformaban) puso en la mesa la bandeja humeante y retiró con un rápido gesto la carne de los pinchitos. Las escasas palabras necesarias habían sido cambiadas en el mal alemán previsible en el comensal y en quienes lo servían; nuevamente lo rodeaba la calma en la penumbra de la sala y del cansancio, pero ahora se oía con más fuerza el golpear de la lluvia en la calle. También eso cesó casi en seguida y usted, volviéndose apenas, comprendió que la puerta de entrada se había abierto para dejar paso a otro comensal, una mujer que debía ser miope no solamente por el grosor de los anteojos sino por la seguridad insensata con que avanzó entre las mesas hasta sentarse en el rincón opuesto de la sala, apenas iluminado por una o dos velas que temblaron a su paso y mezclaron su figura incierta con los muebles y las paredes y el espeso cortinado rojo del fondo, allí donde el restaurante parecía adosarse al resto de una casa imprevisible.

Mientras comía, lo divirtió vagamente que la turista inglesa (no se podía ser otra cosa con ese impermeable y un asomo de blusa entre solferino y tomate) se concentrara con toda su miopía en un menú que debía escapársele totalmente, y que la mujer de los grandes ojos negros se quedara en el tercer ángulo de la sala, donde había un mostrador con espejos y guirnaldas de flores secas, esperando que la turista terminara de no entender para acercarse. Los camareros se habían situado detrás del mostrador, a los lados de la mujer, y esperaban también con los brazos cruzados, tan parecidos entre ellos que el reflejo de sus espaldas en el azogue envejecido tenía algo de falso, como una cuadruplicación difícil y engañosa. Todos ellos miraban a la turista inglesa que no parecía darse cuenta del paso del tiempo y seguía con la cara pegada al menú. Hubo todavía una espera mientras usted sacaba otro cigarrillo, y la mujer terminó por acercarse a su mesa y preguntarle si deseaba alguna sopa, tal vez queso de oveja a la griega, avanzaba en las preguntas a cada cortés negativa, los quesos eran muy buenos, pero entonces tal vez algunos dulces regionales. Usted solamente quería un café a la turca porque el plato había sido abundante y empezaba a tener sueño. La mujer pareció indecisa, como dándole la oportunidad de que cambiara de opinión y se decidiera a pedir la bandeja de quesos, y cuando no lo hizo repitió mecánicamente café a la turca y usted dijo que sí, café a la turca, y la mujer tuvo como una respiración corta y rápida, alzó la mano hacia los camareros y siguió a la mesa de la turista inglesa.

El café tardó en llegar, contrariamente al rápido principio de la cena, y usted tuvo tiempo de fumar otro cigarrillo y terminar lentamente la botella de vino, mientras se divertía viendo a la turista inglesa pasear una mirada de gruesos vidrios por toda la sala, sin detenerse especialmente en nada. Había en ella algo de torpe o de tímido, le llevó un buen rato de vagos movimientos hasta que se decidió a quitarse el impermeable brillante de lluvia y colgarlo en el perchero más próximo; desde luego que al volver a sentarse debió mojarse el trasero, pero eso no parecía preocuparla mientras terminaba su incierta observación de la sala y se quedaba muy quieta mirando el mantel. Los camareros habían vuelto a ocupar sus puestos detrás del mostrador, y la mujer aguardaba junto a la ventanilla de la cocina; los tres miraban a la turista inglesa, la miraban como esperando algo, que llamara para completar un pedido o acaso cambiarlo o irse, la miraban de una manera que a usted le pareció demasiado intensa, en todo caso injustificada. De usted habían dejado de ocuparse, los dos camareros estaban otra vez cruzados de brazos y la mujer tenía la cabeza un poco gacha y el largo pelo lacio le tapaba los ojos, pero acaso era la que miraba más fijamente a la turista y a usted eso le pareció desagradable y descortés aunque el pobre

topo miope no pudiera enterarse de nada ahora que
revolvía en su bolso y sacaba algo que no se podía
ver en la penumbra pero que se identificó con el
ruido que hizo el topo al sonarse. Uno de los camareros le llevó el plato (parecía gulash) y volvió
inmediatamente a su puesto de centinela; la doble
manía de cruzarse de brazos apenas terminaban su
trabajo hubiera sido divertida pero de alguna manera no lo era, ni tampoco que la mujer se pu-
siera en el ángulo más alejado del mostrador y desde
ahí siguiera con una atención concentrada la ope-
ración de beber el café que usted llevaba a cabo
con toda la lentitud que exigía su buena calidad y
su perfume. Bruscamente el centro de atención parecía haber cambiado, porque también los dos camareros lo miraban beber el café, y antes de que
lo terminara la mujer se acercó a preguntarle si
quería otro, y usted aceptó casi perplejo porque en
todo eso, que no era nada, había algo que se le esca-
paba y que hubiera querido entender mejor. La
turista inglesa, por ejemplo, por qué de golpe los
camareros parecían tener tanta prisa en que la turista terminara de comer y se fuera, y para eso le
quitaban el plato con el último bocado y le ponían
el menú abierto contra la cara y uno de ellos se
iba con el plato vacío mientras el otro esperaba
como urgiéndola a que se decidiera.

Usted, como pasa tantas veces, no hubiera podido precisar el momento en que creyó entender;
también en el ajedrez y en el amor hay esos instan-

tes en que la niebla se triza y es entonces que se cumplen las jugadas o los actos que un segundo antes hubieran sido inconcebibles. Sin siquiera una idea articulable olió el peligro, se dijo que por más atrasada que estuviera la turista inglesa en su cena era necesario quedarse ahí fumando y bebiendo hasta que el topo indefenso se decidiera a enfundarse en su burbuja de plástico y se largara otra vez a la calle. Como siempre le habían gustado el deporte y el absurdo, encontró divertido tomar así algo que a la altura del estómago estaba lejos de serlo; hizo un gesto de llamada y pidió otro café y una copa de barack, que era lo aconsejable en el enclave. Le quedaban tres cigarrillos y pensó que alcanzarían hasta que la turista inglesa se decidiera por algún postre balcánico; desde luego no tomaría café, era algo que se le veía en los anteojos y la blusa; tampoco pediría té porque hay cosas que no se hacen fuera de la patria. Con un poco de suerte pagaría la cuenta y se iría en unos quince minutos más.

Le sirvieron el café pero no el barack, la mujer extrajo los ojos de la mata de pelo para adoptar la expresión que convenía al retardo; estaban buscando una nueva botella en la bodega, el señor tendría la bondad de esperar unos pocos minutos. La voz articulaba claramente las palabras aunque estuvieran mal pronunciadas, pero usted advirtió que la mujer se mantenía atenta a la otra mesa donde uno de los camareros presentaba la cuenta con un gesto de autómata, alargando el brazo y quedándose inmóvil dentro de una perfecta descortesía respetuosa. Como si finalmente comprendiera, la turista se había puesto a revolver en su bolso, todo era torpeza en ella, probablemente encontraba un peine o un espejo en vez del dinero que finalmente debió asomar a la superficie porque el camarero se apartó bruscamente de la mesa en el momento en que la mujer llegaba a la suya con la copa de barack. Usted tampoco supo muy bien por qué le pidió simultáneamente la cuenta, ahora que estaba seguro de que la turista se iría antes y que bien podía dedicarse a saborear el barack y fumar el último cigarrillo. Tal vez la idea de quedarse nuevamente solo en la sala, eso que había sido tan agradable al llegar y ahora era diferente, cosas como la doble imagen de los camareros detrás del mostrador y la mujer que parecía vacilar ante el pedido, como si fuera una insolencia apresurarse de ese modo, y luego le daba la espalda y volvía al mostrador hasta cerrar una vez más el trío y la espera. Después de todo debía ser deprimente trabajar en un restaurante tan vacío, tan como lejos de la luz y el aire puro; esa gente empezaba a agostarse, su palidez y sus gestos mecánicos eran la única respuesta posible a la repetición de tantas noches interminables. Y la turista manoteaba en torno a su impermeable, volvía hasta la mesa como si creyera haberse olvidado de algo, miraba debajo de la silla, y entonces usted se levantó lentamente, incapaz de quedarse un segundo más, y se encontró a mitad de camino con uno de los camareros que le tendió la bandejita de plata en la que usted puso un billete sin mirar la cuenta. El golpe de viento coincidió con el gesto del camarero buscando el vuelto en los bolsillos del chaleco rojo, pero usted sabía que la turista acababa de abrir la puerta y no esperó más, alzó la mano en una despedida que abarcaba al mozo y a los que seguían mirándolo desde el mostrador, y calculando exactamente la distancia recogió al pasar su impermeable y salió a la calle donde ya no llovía. Sólo ahí respiró de verdad, como si hasta entonces y sin darse cuenta hubiera estado conteniendo la respiración; sólo ahí tuvo verdaderamente miedo y alivio al mismo tiempo.

La turista estaba a pocos pasos, marchando lentamente en la dirección de su hotel, y usted la siguió con el vago recelo de que bruscamente se acordara de haber olvidado alguna otra cosa y se le ocurriera volver al restaurante. No se trataba ya de comprender nada, todo era un simple bloque, una evidencia sin razones: la había salvado y tenía que asegurarse de que no volvería, de que el torpe topo metido en su húmeda burbuja llegaría con una total inconsciencia feliz al abrigo de su hotel, a un cuarto donde nadie la miraría como la habían estado mirando.

Cuando dobló en la esquina, y aunque ya no había razones para apresurarse, se preguntó si no

sería mejor seguirla de cerca para estar seguro de
que no iba a dar la vuelta a la manzana con su
errática torpeza de miope; se apuró a llegar a la
esquina y vio la callejuela mal iluminada y vacía.
Las dos largas tapias de piedra sólo mostraban un
portón a la distancia, donde la turista no había
podido llegar; sólo un sapo exaltado por la lluvia
cruzaba a saltos de una acera a otra.

Por un momento fue la cólera, cómo podía esa
estúpida . . . Después se apoyó en una de las tapias
y esperó, pero era casi como si se esperara a sí
mismo, a algo que tenía que abrirse y funcionar
en lo más hondo para que todo eso alcanzara un
sentido. El sapo había encontrado un agujero al
pie de la tapia y esperaba también, quizá algún insecto que anidaba en el agujero o un pasaje para
entrar en un jardín. Nunca supo cuánto tiempo
se había quedado ahí ni por qué volvió a la calle
del restaurante. Las vitrinas estaban a oscuras pero
la estrecha puerta seguía entornada; casi no le ex-
trañó que la mujer estuviera ahí como esperándolo
sin sorpresa.

—Pensamos que volvería —dijo—. Ya ve que
no había por qué irse tan pronto.

Abrió un poco más la puerta y se hizo a un lado;
ahora hubiera sido tan fácil darle la espalda e irse
sin siquiera contestar, pero la calle con las tapias
y el sapo era como un desmentido a todo lo que
había imaginado, a todo lo que había creído una
obligación inexplicable. De alguna manera le daba

lo mismo entrar que irse, aunque sintiera la crispación que lo echaba hacia atrás; entró antes de alcanzar a decidirlo en ese nivel donde nada había sido decidido esa noche, y oyó el frote de la puerta y del cerrojo a sus espaldas. Los dos camareros estaban muy cerca, y sólo quedaban unas pocas bujías alumbradas en la sala.

—Venga —dijo la voz de la mujer desde algún rincón—, todo está preparado.

Su propia voz le sonó como distante, algo que viniera desde el otro lado del espejo del mostrador.

—No comprendo —alcanzó a decir—, ella estaba ahí y de pronto...

Uno de los camareros rió, apenas un comienzo de risa seca.

—Oh, ella es así —dijo la mujer, acercándose de frente—. Hizo lo que pudo por evitarlo, siempre lo intenta, la pobre. Pero no tienen fuerza, solamente pueden hacer algunas cosas y siempre las hacen mal, es tan distinto de como la gente los imagina.

Sintió a los dos camareros a su lado, el roce de sus chalecos contra el impermeable.

—Casi nos da lástima —dijo la mujer—, ya van dos veces que viene y tiene que irse porque nada le sale bien. Nunca le salió bien nada, no hay más que verla.

—Pero ella...

—Jenny —dijo la mujer—. Es lo único que pudimos saber de ella cuando la conocimos, alcanzó a decir que se llamaba Jenny, a menos que estuviera llamando a otra, después no fueron más que los gritos, es absurdo que griten tanto.

Usted los miró sin hablar, sabiendo que hasta mirarlos era inútil, y yo le tuve tanta lástima, Jacobo, cómo podía yo saber que usted iba a pensar lo que pensó de mí y que iba a tratar de protegerme, yo que estaba ahí para eso, para conseguir que lo dejaran irse. Había demasiada distancia, demasiadas imposibilidades entre usted y yo; habíamos jugado el mismo juego pero usted estaba todavía vivo y no había manera de hacerle comprender. A partir de ahora iba a ser diferente si usted lo quería, a partir de ahora seríamos dos para venir en las noches de lluvia, tal vez así saliera mejor, o por lo menos sería eso, seríamos dos en las noches de lluvia.

Este relato se incluyó en el catálogo de una exposición del pintor venezolano Jacobo Borges.

LAS CARAS DE LA MEDALLA

A la que un día lo leerá, ya tarde
como siempre.

Las oficinas del CERN daban a un pasillo som-
brío, y a Javier le gustaba salir de su despacho y
fumar un cigarrillo yendo y viniendo, imaginando
a Mireille detrás de la puerta de la izquierda. Era
la cuarta vez en tres años que iba a trabajar como
temporero a Ginebra, y a cada regreso Mireille lo
saludaba cordialmente, lo invitaba a tomar té a las
cinco con otros dos ingenieros, una secretaria y un
mecanógrafo poeta y yugoslavo. Nos gustaba el
pequeño ritual porque no era diario y por tanto
mecánico; cada tres o cuatro días, cuando nos en-
contrábamos en un ascensor o en el pasillo, Mireille
lo invitaba a reunirse con sus colegas a la hora del
té que improvisaban sobre su escritorio. Tal vez
Javier le caía simpático porque no disimulaba su
aburrimiento y sus ganas de terminar el contrato
y volverse a Londres. Era difícil saber por qué lo
contrataban, en todo caso los colegas de Mireille
se sorprendían ante su desprecio por el trabajo y la
leve música del transistor japonés con que acom-

pañaba sus cálculos y sus diseños. Nada parecía
acercarnos en ese entonces, Mireille se quedaba horas y horas en su escritorio y era inútil que Javier
intentara cábalas absurdas para verla salir después
de treinta y tres idas y venidas por el pasillo; pero
si hubiera salido, sólo habrían cambiado un par de
frases cualquiera sin que Mireille imaginara que
él se paseaba con la esperanza de verla salir, así
como él se paseaba por juego, por ver si antes de
treinta y tres Mireille o una vez más fracaso. Casi
no nos conocíamos, en el CERN casi nadie se
conoce de veras, la obligación de coexistir tantas
horas por semana fabrica telarañas de amistad o
enemistad que cualquier viento de vacaciones o de
cesantía manda al diablo. A eso jugamos durante
esas dos semanas que volvían cada año, pero para
Javier el retorno a Londres era también Eileen y
una lenta, irrestañable degradación de algo que
alguna vez había tenido la gracia del deseo y el
goce, Eileen gata trepada a un barrilete, saltarina
de garrocha sobre el hastío y la costumbre. Con
ella había vivido un safari en plena ciudad, Eileen
lo había acompañado a cazar antílopes en Picca-
dilly Circus, a encender hogueras de vivac en
Hampstead Heath, todo se había acelerado como
en las películas mudas hasta una última carrera de
amor en Dinamarca, o había sido en Rumania, de
pronto las diferencias siempre conocidas y nega-
das, las cartas que cambian de posición en la baraja
y modifican las suertes, Eileen prefiriendo el cine

a los conciertos o viceversa, Javier yéndose solo a
buscar discos porque Eileen tenía que lavarse el
pelo, ella que sólo se lo había lavado cuando realmente no había otra cosa que hacer, protestando
contra la higiene y por favor enjuagame la cara
que tengo shampoo en los ojos. El primer contrato
del CERN había llegado cuando ya nada quedaba
por decirse salvo que el departamento de Earl's
Court seguía allí con las rutinas matinales, el amor
como la sopa o el *Times*, como tía Rosa y sus cumpleaños en la finca de Bath, las facturas del gas.
Todo eso que era ya un turbio vacío, un presente
pasado de contradictorias recurrencias, llenaba el
ir y venir de Javier por el pasillo de las oficinas,
veinticinco, veintiséis, veintisiete, tal vez antes de
treinta la puerta y Mireille y hola, Mireille que
iría a hacer pipí o a consultar un dato con el esta-
dígrafo inglés de patillas blancas, Mireille morena
y callada, blusa hasta el cuello donde algo debía
latir despacio, un pajarito de vida sin demasiados
altibajos, una madre lejana, algún amor desdicha-
do y sin secuelas, Mireille ya un poco solterona, un
poco oficinista pero a veces silbando un tema de
Mahler en el ascensor, vestida sin capricho, casi
siempre de pardo o de traje sastre, una edad demasiado puesta, una discreción demasiado hosca.

Sólo uno de los dos escribe esto pero es lo mismo, es como si lo escribiéramos juntos aunque ya
nunca más estaremos juntos, Mireille seguirá en su
casita de las afueras ginebrinas, Javier viajará por

el mundo y volverá a su departamento de Londres con la obstinación de la mosca que se posa cien veces en un brazo, en Eileen. Lo escribimos como una medalla es al mismo tiempo su anverso y su reverso que no se encontrarán jamás, que sólo se vieron alguna vez en el doble juego de espejos de la vida. Nunca podremos saber de verdad cuál de los dos es más sensible a esta manera de no estar que para él y para ella tiene el otro. Cada uno de su lado, Mireille llora a veces mientras escucha un determinado quinteto de Brahms, sola al atardecer en su salón de vigas oscuras y muebles rústicos, al que por momentos llega el perfume de las rosas del jardín. Javier no sabe llorar, sus lágrimas eligen condensarse en pesadillas que lo despiertan brutalmente junto a Eileen, de las que se despoja bebiendo coñac y escribiendo textos que no contienen forzosamente las pesadillas aunque a veces sí, a veces las vuelca en inútiles palabras y por un rato es el amo, el que decide lo que será dicho o lo que resbalará poco a poco al falso olvido de un nuevo día.

A nuestra manera los dos sabemos que hubo un error, una equivocación restañable pero que ninguno fue capaz de restañar. Estamos seguros de no habernos juzgado nunca, de simplemente haber aceptado que las cosas se daban así y que no se podía hacer más que lo que hicimos. No sé si pensamos entonces en fuerzas como el orgullo, la renuncia, la decepción, si solamente Mireille o sola-

mente Javier las pensaron mientras el otro las aceptaba como algo fatal, sometiéndose a un sistema
que los abarcaba y los sometía; es demasiado fácil
ahora decirse que todo pudo depender de una re-
beldía instantánea, de encender el velador al lado
de la cama cuando Mireille se negaba, de guardar
a Javier a su lado toda la noche cuando él buscaba
ya sus ropas para volver a vestirse; es demasiado
fácil echarle la culpa a la delicadeza, a la imposi-
bilidad de ser brutal u obstinado o generoso. Entre
seres más simples o más ignorantes eso no hubiera
sucedido así, acaso una bofetada o un insulto hubieran contenido la caridad y el justo camino que
el decoro nos vedó cortésmente. Nuestro respeto
venía de una manera de vivir que nos acercó como
las caras de la medalla; lo aceptamos cada cual de
su lado, Mireille en un silencio de distancia y renuncia, Javier murmurándole su esperanza ya ridícula, callándose por fin en mitad de una frase, en
mitad de una última carta. Y después de todo sólo
nos quedaba, nos queda la lúgubre tarea de seguir
siendo dignos, de seguir viviendo con la vana esperanza de que el olvido no nos olvide demasiado.

Un mediodía nos encontramos en casa de
Mireille, casi como por obligación ella lo había
invitado a almorzar con otros colegas, no podía
dejarlo de lado cuando Gabriela y Tom habían
aludido al almuerzo mientras tomaban el té en su
oficina, y Javier había pensado que era triste que

Mireille lo invitara por una simple presión social pero había comprado una botella de Jack Daniels y conocido la cabaña de las afueras de Ginebra, el pequeño rosedal y el barbecue donde Tom oficiaba entre cócteles y un disco de los Beatles que no era de Mireille, que ciertamente no estaba en la severa discoteca de Mireille pero que Gabriela había echado a girar porque para ella y Tom y medio CERN el aire era irrespirable sin esa música. No hablamos mucho, en algún momento Mireille lo llevó por el rosedal y él le preguntó si le gustaba Ginebra y ella le contestó con sólo mirarlo y encogerse de hombros, la vio afanarse con platos y vasos, le oyó decir una palabrota porque una chispa en la mano, los fragmentos se iban reuniendo y tal vez fue entonces que la deseó por primera vez, el mechón de pelo cruzándole la frente morena, los bluejeans marcándole la cintura, la voz un poco grave que debía saber cantar lieder, decir las cosas importantes como un simple murmullo musgoso. Volvió a Londres al fin de la semana y Eileen estaba en Helsinki, un papel sobre la mesa informaba de un trabajo bien pagado, tres semanas, quedaba un pollo en la heladera, besos.

La vez siguiente el CERN ardía en una conferencia de alto nivel, Javier tuvo que trabajar de veras y Mireille pareció tenerle lástima cuando él se lo dijo lúgubremente entre el quinto piso y la calle; le propuso ir a un concierto de piano, fueron, coincidieron en Schubert pero no en Bartok,

bebieron en un cafecito casi desierto, ella tenía un
viejo auto inglés y lo dejó en su hotel, él le había
traído un disco de madrigales y fue bueno saber
que no lo conocía, que no sería necesario cambiarlo. Domingo y campo, la transparencia de una
tarde casi demasiada suiza, dejamos el auto en una
aldea y anduvimos por los trigales, en algún momento Javier le contó de Eileen, así por contarlo,
sin necesidad precisa, y Mireille lo escuchó callada,
le ahorró la compasión y los comentarios que sin
embargo él hubiera querido de alguna manera porque esperaba de ella algo que empezara a parecerse
a lo que sentía, su deseo de besarla dulcemente, de
apoyarla contra el tronco de un árbol y conocer
sus labios, toda su boca. Casi no hablamos de nosotros a la vuelta, nos dejábamos ir por los senderos
que proponían sus temas a cada recodo, los setos,
las vacas, un cielo con nubes plateadas, la tarjeta
postal del buen domingo. Pero cuando bajamos
corriendo una cuesta entre empalizadas, Javier sintió la mano de Mireille cerca de la suya y la apretó
y siguieron corriendo como si se impulsaran mu-
tuamente, y ya en el auto Mireille lo invitó a
tomar el té en su cabaña, le gustaba llamarla cabaña porque no era una cabaña pero tenía tanto
de cabaña, y escuchar discos. Fue un alto en el
tiempo, una línea que cesa de pronto en el ritmo
del dibujo antes de recomenzar en otra parte del
papel, buscando una nueva dirección.

Hicimos un balance muy claro esa tarde:

Mahler sí, Brahms sí, la edad media en conjunto
sí, jazz no (Mireille), jazz sí (Javier). Del resto
no hablamos, quedaban por explorar el renaci-
miento, el barroco, Pierre Boulez, John Cage (pero
Mireille no Cage, eso era seguro aunque no hubieran hablado de él, y probablemente Boulez músico
no, aunque director sí, esos matices importantes).
Tres días después fuimos a un concierto, cenamos
en la ciudad vieja, había una postal de Eileen y
una carta de la madre de Mireille pero no hablamos de ellas, todo era todavía Brahms y un vino
blanco que a Brahms le hubiera gustado porque
estábamos seguros de que el vino blanco tenía
que haberle gustado a Brahms. Mireille lo dejó en
el hotel y se besaron en las mejillas, quizá no demasiado rápido como cuando en las mejillas, pero
en las mejillas. Esa noche Javier contestó la postal
de Eileen, y Mireille regó sus rosas bajo la luna,
no por romanticismo porque nada tenía de romántica, sino porque el sueño tardaba en venir.

Faltaba la política, salvo comentarios aislados
que mostraban poco a poco nuestras diferencias
parciales. Tal vez no habíamos querido afrontarla,
tal vez cobardemente; el té en la oficina desató
la cosa, el mecanógrafo poeta golpeó duro contra
los israelíes, Gabriela los encontró maravillosos,
Mireille dijo solamente que estaban en su derecho
y qué demonios, Javier le sonrió sin ironía y observó que exactamente lo mismo podía decirse de
los palestinos. Tom estaba por un arreglo interna-

cional con cascos azules y el resto de la farándula,
lo demás fue té y previsiones sobre la semana de
trabajo. Alguna vez hablaríamos en serio de todo
eso, ahora solamente nos gustaba mirarnos y sen-
tirnos bien, decirnos que dentro de poco tendría-
mos una velada Beethoven en el Victoria Hall; de
ella hablamos en la cabaña, Javier había traído
coñac y un juguete absurdo que según él tenía
que gustarle muchísimo a Mireille pero que ella
encontró sumamente tonto aunque lo mismo lo
puso en un estante después de darle cuerda y con-
templar amablemente sus contorsiones. Esa tarde
fue Bach, fue el violoncelo de Rostropovich y una
luz que descendía poco a poco como el coñac en
las burbujas de las copas. Nada podía ser más
nuestro que ese acuerdo de silencio, jamás habíamos necesitado alzar un dedo o callar un comentario; sólo después, con el gesto de cambiar el
disco, entraban las primeras palabras. Javier las
dijo mirando al suelo, preguntó simplemente si
alguna vez le sería dado saber lo que ella ya sabía
de él, su Londres y su Eileen de ella.

Sí, claro que podía saber pero no, en todo caso
no ahora. Alguna vez, de joven, nada que contar
salvo que bueno, había días en que todo pesaba
tanto. En la penumbra Javier sintió que las palabras le llegaban como mojadas, un instantáneo
ceder pero secándose ya los ojos con el revés de
la manga sin darle tiempo a preguntar más o a
pedirle perdón. Confusamente la rodeó con un

brazo, buscó su cara que no lo rechazaba pero
que estaba como en otra parte, en otro tiempo.
Quiso besarla y ella resbaló de lado murmurando
una excusa blanda, otro poco de coñac, no había
que hacerle caso, no había que insistir.

Todo se mezcla poco a poco, no nos acordaría-
mos en detalle del antes o el después de esas semanas, el orden de los paseos o los conciertos, las citas
en los museos. Acaso Mireille hubiera podido or-
denar mejor las secuencias, Javier no hacía más
que poner sus pocas cartas boca arriba, la vuelta
a Londres que se acercaba, Eileen, los conciertos,
descubrir por una simple frase la religión de Mireille, su fe y sus valores precisos, eso que en él no
era más que esperanza de un presente casi siempre
derogado. En un café, después de pelearnos riendo
por una cuestión de quién pagaría, nos miramos
como viejos amigos, bruscamente camaradas, nos
dijimos palabrotas privadas de sentido, zarpas de
osos jugando. Cuando volvimos a escuchar música
en la cabaña había entre nosotros otra manera de
hablar, otra familiaridad de la mano que empujaba
una cintura para franquear la puerta, el derecho
de Javier de buscar por su cuenta un vaso o pedir
que Teleman no, que primero Lotte Lehman y
mucho, mucho hielo en el whisky. Todo estaba
como sutilmente trastrocado, Javier lo sentía y
algo lo perturbó sin saber qué, un haber llegado
antes de llegar, un derecho de ciudad que nadie

le había dado. Nunca nos mirábamos a la hora
de la música, bastaba con estar ahí en el viejo sofá
de cuero y que anocheciera y Lotte Lehman.
Cuando él le buscó la boca y sus dedos rozaron
la comba de sus senos, Mireille se mantuvo inmóvil
y se dejó besar y respondió a su beso y le cedió durante un segundo su lengua y su saliva, pero siempre sin moverse, sin responder a su gesto de levan-
tarla del sillón, callando mientras él le balbuceaba
el pedido, la llamaba a todo lo que estaba esperando en el primer peldaño de la escalera, en la
noche entera para ellos.

También él esperó, creyendo comprender, le
pidió perdón pero antes, todavía con la boca muy
cerca de su cara, le preguntó por qué, le preguntó
si era virgen, y Mireille negó agachando la cabeza,
sonriéndole un poco como si preguntar eso fuera
tonto, fuera inútil. Escucharon otro disco comien-
do bizcochos y bebiendo, la noche había cerrado
y él tendría que irse. Nos levantamos al mismo
tiempo, Mireille se dejó abrazar como si hubiera
perdido las fuerzas, no dijo nada cuando él volvió
a murmurarle su deseo; subieron la estrecha escalera y en el rellano se separaron, hubo esa pausa
en que se abren puertas y se encienden luces, un
pedido de espera y una desaparición que se pro-
longó mientras en el dormitorio Javier se sentía
como fuera de sí mismo, incapaz de pensar que no
hubiera debido permitir eso, que eso no podía ser
así, la espera intermedia, las probables precaucio-

nes, la rutina casi envilecedora. La vio regresar
envuelta en una bata de baño de esponja blanca,
acercarse a la cama y tender la mano hacia el velador. "No apagues la luz", le pidió, pero Mireille
negó con la cabeza y apagó, lo dejó desnudarse en
la oscuridad total, buscar a tientas el borde de la
cama, resbalar en la sombra contra su cuerpo inmóvil.

No hicimos el amor. Estuvimos a un paso después que Javier conoció con las manos y los labios
el cuerpo silencioso que lo esperaba en la tiniebla.
Su deseo era otro, verla a la luz de la lámpara, sus
senos y su vientre, acariciar una espalda definida,
mirar las manos de Mireille en su propio cuerpo,
detallar en mil fragmentos ese goce que precede al
goce. En el silencio y la oscuridad totales, en la
distancia y la timidez que caían sobre él desde
Mireille invisible y muda, todo cedía a una irrea-
lidad de entresueño y a la vez él era incapaz de
hacerle frente, de saltar de la cama y encender la
luz y volver e imponer una voluntad necesaria y
hermosa. Pensó confusamente que después, cuando ella ya lo hubiera conocido, cuando la verdadera intimidad comenzara, pero el silencio y la
sombra y el tictac de ese reloj en la cómoda podían más. Balbuceó una excusa que ella acalló
con un beso de amiga, se apretó contra su cuerpo,
se sintió insoportablemente cansado, tal vez durmió un momento.

Tal vez dormimos, sí, tal vez en esa hora que-

damos abandonados a nosotros mismos y nos per-
dimos. Mireille se levantó la primera y encendió la
luz, envuelta en su bata volvió al cuarto de baño
mientras Javier se vestía mecánicamente, incapaz
de pensar, la boca como sucia y la resaca del coñac
mordiéndole el estómago. Apenas hablaron, apenas se miraban, Mireille dijo que no era nada, que
en la esquina había siempre taxis, lo acompañó
hasta abajo. Él no fue capaz de romper la rígida
cadena de causas y consecuencias, la rutina obli-
gada que desde mucho más atrás de ellos mismos
le exigía agachar la cabeza y marcharse de la cabaña en plena noche; sólo pensó que al otro día
hablarían más tranquilos, que trataría de hacerle
comprender, pero comprender qué. Y es verdad
que hablaron en el café de siempre y que Mireille
volvió a decir que no era nada, no tenía importancia, otra vez acaso sería mejor, no había que
pensar. Él se volvía a Londres tres días más tarde,
cuando le pidió que lo dejara acompañarla a la
cabaña ella le dijo que no, mejor no. No supimos
hacer ni decir otra cosa, ni siquiera supimos callar-
nos, abrazarnos en cualquier esquina, encontrarnos
en cualquier mirada. Era como si Mireille esperara
de Javier algo que él esperaba de Mireille, una
cuestión de iniciativas o de prelaciones, de gestos
de hombre y acatamientos de mujer, la inmuta-
bilidad de las secuencias decididas por otros, reci-
bidas desde fuera; habíamos avanzado por un
camino en el que ninguno había querido forzar

la marcha, quebrar la armoniosa paridad; ni siquiera ahora, después de saber que habíamos errado ese camino, éramos capaces de un grito, de un manotón hacia la lámpara, del impulso por encima de las ceremonias inútiles, de las batas de baño y no es nada, no te preocupes por eso, otra vez será mejor. Hubiera sido preferible aceptarlo entonces, en seguida. Hubiera sido preferible repetir juntos: por delicadeza / perdemos nuestra vida; el poeta nos hubiera perdonado que habláramos también por nosotros.

Dejamos de vernos durante meses. Javier escribió, por supuesto, y puntualmente le llegaron unas pocas frases de Mireille, cordiales y distantes. Entonces él empezó a telefonearle por las noches, casi siempre los sábados cuando la imaginaba sola en la cabaña, disculpándose si interrumpía un cuarteto o una sonata, pero Mireille respondía siempre que había estado leyendo o cuidando el jardín, que estaba muy bien que llamara a esa hora. Cuando viajó a Londres seis meses más tarde para visitar a una tía enferma, Javier le reservó un hotel, se encontraron en la estación y fueron a visitar los museos, King's Road, se divirtieron con una película de Milos Forman. Hubo esa hora como de antaño, en un pequeño restaurante de Whitechapel las manos se encontraron con una confianza que abolía el recuerdo, y Javier se sintió mejor y se lo dijo, le dijo que la deseaba más

puerta cerrada con llave, el cerrojo corrido.

—¿Quién eres? —se oyó preguntar absurdamente desde eso que no podía ser el sueño ni la vigilia.

—Qué importa —dijo el extranjero.

—Pero Alfonso...

Se vio mirado por algo que tenía como un tiempo aparte, una distancia hueca. La llama del fósforo se reflejó en unas pupilas dilatadas, de color avellana. El extranjero apagó el fósforo y se miró un momento las manos.

—Pobre Alfonso —dijo—. Pobre, pobre Alfonso.

No había lástima en sus palabras, solamente como una comprobación desapegada.

—¿Pero quién coño eres? —gritó Jiménez sabiendo que eso era la histeria, la pérdida del último control.

—Oh, alguien que anda por ahí —dijo el extranjero—. Siempre me acerco cuando tocan mi música, sobre todo aquí, sabes. Me gusta escucharla cuando la tocan aquí, en esos pianitos pobres. En mi tiempo era diferente, siempre tuve que escucharla lejos de mi tierra. Por eso me gusta acercarme, es como una reconciliación, una justicia.

Apretando los dientes para desde ahí dominar el temblor que lo ganaba de arriba abajo, Jiménez alcanzó a pensar que la única cordura era decidir que el hombre estaba loco. Ya no importaba cómo había entrado, cómo sabía, porque desde luego sabía pero estaba loco y esa era la sola ventaja posible. Ganar tiempo, entonces, seguirle la corriente, preguntarle por el piano, por la música.

—Toca bien —dijo el extranjero—, pero claro, solamente lo que escuchaste, las cosas fáciles. Esta noche me hubiera gustado que tocara ese estudio que llaman revolucionario, de veras que me hubiera gustado mucho. Pero ella no puede, pobrecita, no tiene dedos para eso. Para eso hacen falta dedos así.

Las manos alzadas a la altura de los hombros, le mostró a Jiménez los dedos separados, largos y tensos. Jiménez alcanzó a verlos un segundo antes de que solamente los sintiera en la garganta.

Cuba, 1976.

LA NOCHE DE MANTEQUILLA

Eran esas ideas que se le ocurrían a Peralta, él no daba mayores explicaciones a nadie pero esa vez se abrió un poco más y dijo que era como el cuento de la carta robada, Estévez no entendió al principio y se quedó mirándolo a la espera de más; Peralta se encogió de hombros como quien renuncia a algo y le alcanzó la entrada para la pelea, Estévez vio bien grande un número 3 en rojo sobre fondo amarillo, y abajo 235; pero ya antes, cómo no verlo con esas letras que saltaban a los ojos, MONZÓN V. NÁPOLES. La otra entrada se la harán llegar a Walter, dijo Peralta. Vos estarás ahí antes de que empiecen las peleas (nunca repetía instrucciones, y Estévez escuchó reteniendo cada frase) y Walter llegará en la mitad de la primera preliminar, tiene el asiento a tu derecha. Cuidado con los que se avivan a último momento y buscan mejor sitio, decile algo en español para estar seguro. Él vendrá con una de esas carteras que usan los hippies, la pondrá entre los dos si es un tablón o en el suelo si son sillas. No le hablés más que de las peleas y fijate bien alrededor, seguro habrá mexicanos o argen-

tinos, tenelos bien marcados para el momento en
que pongas el paquete en la cartera. ¿Walter sabe
que la cartera tiene que estar abierta?, preguntó
Estévez. Sí, dijo Peralta como sacándose una mosca de la solapa, solamente esperá hasta el final
cuando ya nadie se distrae. Con Monzón es difícil
distraerse, dijo Estévez. Con Mantequilla tampoco,
dijo Peralta. Nada de charla, acordate. Walter se
irá primero, vos dejá que la gente vaya saliendo y
andate por otra puerta.

Volvió a pensar en todo eso como un repaso final mientras el metro lo llevaba a la Défense entre
pasajeros que por la pinta iban también a ver la
pelea, hombres de a tres o cuatro, franceses marcados por la doble paliza de Monzón a Bouttier,
buscando una revancha vicaria o acaso ya conquis-
tados secretamente. Qué idea genial la de Peralta,
darle esa misión que por venir de él tenía que ser
crítica, y a la vez dejarlo ver de arriba una pelea
que parecía para millonarios. Ya había comprendido la alusión a la carta robada, a quién se le iba
a ocurrir que Walter y él podrían encontrarse en
el box, en realidad no era una cuestión de encuentro porque eso podía haber ocurrido en mil rinco-
nes de París, sino de responsabilidad de Peralta que
medía despacio cada cosa. Para los que pudieran
seguir a Walter o seguirlo a él, un cine o un café
o una casa eran posibles lugares de encuentro, pero
esa pelea valía como una obligación para cualquiera que tuviese la plata suficiente, y si por ahí

los seguían se iban a dar un chasco del carajo delante de la carpa de circo montada por Alain
Delon; allí no entraría nadie sin el papelito amarillo, y las entradas estaban agotadas desde una semana antes, lo decían todos los diarios. Más todavía a favor de Peralta, si por ahí lo venían siguiendo o lo seguían a Walter, imposible verlos juntos
ni a la entrada ni a la salida, dos aficionados entre
miles y miles que asomaban como bocanadas de
humo del metro y de los ómnibus, apretándose a
medida que el camino se hacía uno solo y la hora
se acercaba.

Vivo, Alain Delon: una carpa de circo montada en un terreno baldío al que se llegaba después
de cruzar una pasarela y seguir unos caminos im-
provisados con tablones. Había llovido la noche
anterior y la gente no se apartaba de los tablones,
ya desde la salida del metro orientándose por las
enormes flechas que indicaban el buen rumbo y
MONZÓN-NÁPOLES a todo color. Vivo, Alain Delon, capaz de meter sus propias flechas en el terri-
torio sagrado del metro aunque le costara plata.
A Estévez no le gustaba el tipo, esa manera prepo-
tente de organizar el campeonato mundial por su
cuenta, armar una carpa y dale que va previo pago
de qué sé yo cuánta guita, pero había que reconocer, algo daba en cambio, no hablemos de Monzón
y Mantequilla pero también las flechas de colores
en el metro, esa manera de recibir como un señor,
indicándole el camino a la hinchada que se hubiera

armado un lío en las salidas y los terrenos baldíos llenos de charcos.

Estévez llegó como debía, con la carpa a medio llenar, y antes de mostrar la entrada se quedó mirando un momento los camiones de la policía y los enormes tráilers iluminados por fuera pero con cortinas oscuras en las ventanillas, que comunicaban con la carpa por galerías cubiertas como para llegar a un jet. Ahí están los boxeadores, pensó Estévez, el tráiler blanco y más nuevo seguro que es el de Carlitos, a ése no me lo mezclan con los otros. Nápoles tendría su tráiler del otro lado de la carpa, la cosa era científica y de paso pura improvisación, mucha lona y tráilers encima de un terreno baldío. Así se hace la guita, pensó Estévez, hay que tener la idea y los huevos, che.

Su fila, la quinta a partir de la zona del ringside, era un tablón con los números marcados en grande, ahí parecía haberse acabado la cortesía de Alain Delon porque fuera de las sillas del ringside el resto era de circo y de circo malo, puros tablones aunque eso sí unas acomodadoras con minifaldas que te apagaban de entrada toda protesta. Estévez verificó por su cuenta el 235, aunque la chica le sonreía mostrándole el número como si él no supiera leer, y se sentó a hojear el diario que después le serviría de almohadilla. Walter iba a estar a su derecha, y por eso Estévez tenía el paquete con la plata y los papeles en el bolsillo izquierdo del saco; cuando fuera el momento podría sacarlo con la

mano derecha, llevándolo inmediatamente hacia las
rodillas lo deslizaría en la cartera abierta a su lado.

La espera se le hacía larga, había tiempo para
pensar en Marisa y en el pibe que estarían acaban-
do de cenar, el pibe ya medio dormido y Marisa
mirando la televisión. A lo mejor pasaban la pelea
y ella la veía, pero él no iba a decirle que había
estado, por lo menos ahora no se podía, a lo mejor
alguna vez cuando las cosas estuvieran más tran-
quilas. Abrió el diario sin ganas (Marisa mirando
la pelea, era cómico pensar que no le podría decir
nada con las ganas que tendría de contarle, sobre
todo si ella le comentaba de Monzón y de Nápoles), entre las noticias del Vietnam y las noticias
de policía la carpa se iba llenando, detrás de él un
grupo de franceses discutía las chances de Nápoles, a su izquierda acababa de instalarse un tipo
cajetilla que primero observó largamente y con
una especie de horror el tablón donde iban a envi-
lecerse sus perfectos pantalones azules. Más abajo
había parejas y grupos de amigos, y entre ellos tres
que hablaban con un acento que podía ser mexicano; aunque Estévez no era muy ducho en acen-
tos, los hinchas de Mantequilla debían abundar
esa noche en que el retador aspiraba nada menos
que a la corona de Monzón. Aparte del asiento de
Walter quedaban todavía algunos claros, pero la
gente se agolpaba en las entradas de la carpa y las
chicas tenían que emplearse a fondo para instalar
a todo el mundo. Estévez encontraba que la ilu-

minación del ring era demasiado fuerte y la música demasiado pop, pero ahora que empezaba la primera preliminar el público no perdía tiempo en críticas y seguía con ganas una mala pelea a puro zapallazo y clinches; en el momento en que Walter se sentó a su lado Estévez llegaba a la conclusión de que ese no era un auténtico público de box, por lo menos alrededor de él; se tragaban cualquier cosa por snobismo, por puro ver a Monzón o a Nápoles.

—Disculpe —dijo Walter acomodándose entre Estévez y una gorda que seguía la pelea semiabrazada a su marido también gordo y con aire de entendido.

—Póngase cómodo —dijo Estévez—. No es fácil, estos franceses calculan siempre para flacos.

Walter se rió mientras Estévez empujaba suave hacia la izquierda para no ofender al de los pantalones azules; al final quedó espacio para que Walter pasara la cartera de tela azul desde las rodillas al tablón. Ya estaban en la segunda preliminar que también era mala, la gente se divertía sobre todo con lo que pasaba fuera del ring, la llegada de un espeso grupo de mexicanos con sombreros de charro pero vestidos como lo que debían ser, bacanes capaces de fletar un avión para venirse a hinchar por Mantequilla desde México, tipos petisos y anchos, de culos salientes y caras a lo Pancho Villa, casi demasiado típicos mientras tiraban los sombreros al aire como si Nápoles ya estuviera en

el ring, gritando y discutiendo antes de incrustarse
en los asientos del ringside. Alain Delon debía te-
nerlo todo previsto porque los altoparlantes escu-
pieron ahí nomás una especie de corrido que los
mexicanos no dieron la impresión de reconocer demasiado. Estévez y Walter se miraron irónicos, y
en ese mismo momento por la entrada más distante
desembocó un montón de gente encabezado por
cinco o seis mujeres más anchas que altas, con pu-
lóveres blancos y gritos de "¡Argentina, Argentina!", mientras los de atrás enarbolaban una enorme bandera patria y el grupo se abría paso contra
acomodadoras y butacas, decidido a progresar hasta
el borde del ring donde seguramente no estaban
sus entradas. Entre gritos delirantes terminaron
por armar una fila que las acomodadoras llevaron
con ayuda de algunos gorilas sonrientes y muchas
explicaciones hacia los tablones semivacíos, y Estévez vio que las mujeres lucían un MONZÓN
negro en la espalda del pulóver. Todo eso regoci-
jaba considerablemente a un público a quien poco
le daba la nacionalidad de los púgiles puesto que no
eran franceses, y ya la tercera pelea iba duro y
parejo aunque Alain Delon no parecía haber gas-
tado mucha plata en mojarritas cuando los dos ti-
burones estarían ya listos en sus tráilers y eran lo
único que le importaba a la gente.

Hubo como un cambio instantáneo en el aire,
algo se trepó a la garganta de Estévez; de los altoparlantes venía un tango tocado por una orquesta

que bien podía ser la de Pugliese. Sólo entonces
Walter lo miró de lleno y con simpatía, y Estévez
se preguntó si sería un compatriota. Casi no habían cambiado palabra aparte de algún comentario
pegado a una acción en el ring, a lo mejor uruguayo o chileno pero nada de preguntas, Peralta había
sido bien claro, gente que se encuentra en el box
y da la casualidad que los dos hablan español, pare
de contar.

—Bueno, ahora sí —dijo Estévez. Todo el mundo se levantaba a pesar de las protestas y los silbi-
dos, por la izquierda un revuelo clamoroso y los
sombreros de charro volando entre ovaciones, Mantequilla trepaba al ring que de golpe parecía ilu-
minarse todavía más, la gente miraba ahora hacia la derecha donde no pasaba nada, los aplausos
cedían a un murmullo de expectativa y desde sus
asientos Walter y Estévez no podían ver el acceso
al otro lado del ring, el casi silencio y de pronto el
clamor como única señal, bruscamente la bata
blanca recortándose contra las cuerdas, Monzón
de espaldas hablando con los suyos, Nápoles yendo
hacia él; un apenas saludo entre flashes y el árbi-
tro esperando que bajaran el micrófono, la gente
que volvía a sentarse poco a poco, un último sombrero de charro yendo a parar muy lejos, devuelto
en otra dirección por pura joda, bumerang tardío
en la indiferencia porque ahora las presentaciones
y los saludos, Georges Carpentier, Nino Benve-
nuti, un campeón francés, Jean-Claude Bouttier,

fotos y aplausos y el ring vaciándose de a poco, el
himno mexicano con más sombreros y al final la
bandera argentina desplegándose para esperar el
himno, Estévez y Walter sin pararse aunque a
Estévez le dolía pero no era cosa de chambonear
a esa altura, en todo caso le servía para saber que
no tenía compatriotas demasiado cerca, el grupo
de la bandera cantaba el final del himno y el trapo
azul y blanco se sacudía de una manera que obligó
a los gorilas a correr para ese lado por las dudas,
la voz anunciando los nombres y los pesos, segundos afuera.

—¿Qué pálpito tenés? —preguntó Estévez. Estaba nervioso, infantilmente emocionado ahora
que los guantes se rozaban en el saludo inicial y
Monzón, de frente, armaba esa guardia que no
parecía una defensa, los brazos largos y delgados,
la silueta casi frágil frente a Mantequilla más bajo
y morrudo, soltando ya dos golpes de anuncio.

—Siempre me gustaron los desafiantes —dijo
Walter, y atrás un francés explicando que a Monzón lo iba a ayudar la diferencia de estatura, golpes de estudio, Monzón entrando y saliendo sin
esfuerzo, round casi obligadamente parejo. Así que
le gustaban los desafiantes, desde luego no era argentino porque entonces; pero el acento, clavado
un uruguayo, le preguntaría a Peralta que seguro
no le contestaría. En todo caso no debía llevar
mucho tiempo en Francia porque el gordo abra-
zado a su mujer le había hecho algún comentario

y Walter contestaba en forma tan incomprensible que el gordo hacía un gesto desalentado y se ponía a hablar con uno de más abajo. Nápoles pega duro, pensó Estévez inquieto, dos veces había visto a Monzón tirarse atrás y la réplica llegaba un poco tarde, a lo mejor había sentido los golpes. Era como si Mantequilla comprendiera que su única chance estaba en la pegada, boxearlo a Monzón no le serviría como siempre le había servido, su maravillosa velocidad encontraba como un hueco, un torso que viraba y se le iba mientras el campeón llegaba una, dos veces a la cara y el francés de atrás repetía ansioso ya ve, ya ve cómo lo ayudan los brazos, quizá la segunda vuelta había sido de Nápoles, la gente estaba callada, cada grito nacía aislado y era como mal recibido, en la tercera vuelta Mantequilla salió con todo y entonces lo esperable, pensó Estévez, ahora van a ver la que se viene, Monzón contra las cuerdas, un sauce cimbreando, un uno-dos de látigo, el clinch fulminante para salir de las cuerdas, una agarrada mano a mano hasta el final del round, los mexicanos subidos en los asientos y los de atrás vociferando protestas o parándose a su vez para ver.

—Linda pelea, che —dijo Estévez—, así vale la pena.

—Ajá.

Sacaron cigarrillos al mismo tiempo, los intercambiaron sonriendo, el encendedor de Walter llegó antes. Estévez miró un instante su perfil,

después lo vio de frente, no era cosa de mirarse
mucho, Walter tenía el pelo canoso pero se lo
veía muy joven, con los blue-jeans y el polo ma-
rrón. ¿Estudiante, ingeniero? Rajando de allá
como tantos, entrando en la lucha, con amigos
muertos en Montevideo o Buenos Aires, quién te
dice en Santiago, tendría que preguntarle a Peralta aunque después de todo seguro que no volvería a verlo a Walter, cada uno por su lado se
acordaría alguna vez que se habían encontrado la
noche de Mantequilla que se estaba jugando a fondo en la quinta vuelta, ahora con un público de
pie y delirante, los argentinos y los mexicanos ba-
rridos por una enorme ola francesa que veía la
lucha más que los luchadores, que atisbaba las reacciones, el juego de piernas, al final Estévez se
daba cuenta de que casi todos entendían la cosa a
fondo, apenas uno que otro festejando idiotamente
un golpe aparatoso y sin efectos mientras se perdía lo que de veras estaba sucediendo en ese ring
donde Monzón entraba y salía aprovechando una
velocidad que a partir de ese momento distanciaba
más y más la de Mantequilla cansado, tocado,
batiéndose con todo frente al sauce de largos brazos que otra vez se hamacaba en las sogas para
volver a entrar arriba y abajo, seco y preciso.
Cuando sonó el gong, Estévez miró a Walter que
sacaba otra vez los cigarrillos.

—Y bueno, es así —dijo Walter tendiéndole
el paquete—. Si no se puede no se puede.

Era difícil hablarse en el griterío, el público sabía que el round siguiente podía ser el decisivo, los hinchas de Nápoles lo alentaban casi como despidiéndolo, pensó Estévez con una simpatía que ya no iba en contra de su deseo ahora que Monzón buscaba la pelea y la encontraba y a lo largo de veinte interminables segundos entrando en la cara y el cuerpo mientras Mantequilla buscaba el clinch como quien se tira al agua, cerrando los ojos. No va a aguantar más, pensó Estévez, y con esfuerzo sacó la vista del ring para mirar la cartera de tela en el tablón, habría que hacerlo justo en el descanso cuando todos se sentaran, exactamente en ese momento porque después volverían a pararse y otra vez la cartera sola en el tablón, dos izquierdas seguidas en la cara de Nápoles que volvía a buscar el clinch, Monzón fuera de distancia, esperando apenas para volver con un gancho exactísimo en plena cara, ahora las piernas, había que mirar sobre todo las piernas, Estévez ducho en eso veía a Mantequilla pesado, tirándose adelante sin ese ajuste tan suyo mientras los pies de Monzón resbalaban de lado o hacia atrás, la cadencia perfecta para que esa última derecha calzara con todo en pleno estómago, muchos no oyeron el gong en el clamoreo histérico pero Walter y Estévez sí, Walter se sentó primero enderezando la cartera sin mirarla y Estévez, siguiéndolo más despacio, hizo resbalar el paquete en una fracción de segundo y volvió a levantar la mano vacía para gesticular su entusiasmo en las narices del tipo de pantalón azul que no parecía muy al tanto de lo que estaba sucediendo.

—Eso es un campeón —le dijo Estévez sin forzar la voz porque de todos modos el otro no lo escucharía en ese clamoreo—. Carlitos, carajo.

Miró a Walter que fumaba tranquilo, el hombre empezaba a resignarse, qué le va a hacer, si no se puede no se puede. Todo el mundo parado a la espera de la campana del séptimo round, un brusco silencio incrédulo y después el alarido unánime al ver la toalla en la lona, Nápoles siempre en su rincón y Monzón avanzando con los guantes en alto, más campeón que nunca, saludando antes de perderse en el torbellino de los abrazos y los flashes. Era un final sin belleza pero indiscutible, Mantequilla abandonaba para no ser el punching-ball de Monzón, toda esperanza perdida ahora que se levantaba para acercarse al vencedor y alzar los guantes hasta su cara, casi una caricia mientras Monzón le ponía los suyos en los hombros y otra vez se separaban, ahora sí para siempre, pensó Estévez, ahora para ya no encontrarse nunca más en un ring.

—Fue una linda pelea —le dijo a Walter que se colgaba la cartera del hombro y movía los pies como si se hubiera acalambrado.

—Podría haber durado más —dijo Walter—, seguro que los segundos de Nápoles no lo dejaron salir.

—¿Para qué? Ya viste como estaba sentido, che, demasiado boxeador para no darse cuenta.

—Sí, pero cuando se es como él hay que jugarse entero, total nunca se sabe.

—Con Monzón sí —dijo Estévez, y se acordó de las órdenes de Peralta, tendió la mano cordialmente—. Bueno, fue un placer.

—Lo mismo digo. Hasta pronto.

—Chau.

Lo vio salir por su lado, siguiendo al gordo que discutía a gritos con su mujer, y se quedó detrás del tipo de los pantalones azules que no se apuraba; poco a poco fueron derivando hacia la izquierda para salir de entre los tablones. Los franceses de atrás discutían sobre técnicas, pero a Estévez lo divirtió ver que una de las mujeres abrazaba a su amigo o su marido, gritándole vaya a saber qué al oído lo abrazaba y lo besaba en la boca y en el cuello. Salvo que el tipo sea un idiota, pensó Estévez, tiene que darse cuenta de que ella lo está besando a Monzón. El paquete no pesaba ya en el bolsillo del saco, era como si se pudiera respirar mejor, interesarse por lo que pasaba, la muchacha apretada al tipo, los mexicanos saliendo con los sombreros que de golpe parecían más chicos, la bandera argentina arrollada a medias pero agitándose todavía, los dos italianos gordos mirándose con aire de entendidos, y uno de ellos diciendo casi solemnemente, gliel'a messo in culo, y el otro asintiendo a tan perfecta síntesis, las puertas

atestadas, una lenta salida cansada y los senderos
de tablas hasta la pasarela en la noche fría y llovizn-
nando, al final la pasarela crujiendo bajo una carga
crítica, Peralta y Chaves fumando apoyados en la
baranda, sin hacer un gesto porque sabían que
Estévez iba a verlos y que disimularía su sorpresa,
se acercaría como se acercó, sacando a su vez un
cigarrillo.

—Lo hizo moco —informó Estévez.

—Ya sé —dijo Peralta—, yo estaba allí.

Estévez lo miró sorprendido, pero ellos se dieron
vuelta al mismo tiempo y bajaron la pasarela entre la gente que ya empezaba a ralear. Supo que
tenía que seguirlos y los vio salir de la avenida que
llevaba al metro y entrar por una calle más oscura, Chaves se dio vuelta una sola vez para asegurarse de que no los había perdido de vista, después
fueron directamente al auto de Chaves y entraron
sin apuro pero sin perder tiempo. Estévez se metió
atrás con Peralta, el auto arrancó en dirección al
sur.

—Así que estuviste —dijo Estévez—. No sabía
que te gustaba el boxeo.

—Me importa un carajo —dijo Peralta—, aunque Monzón vale la plata que cuesta. Fui para
mirarte de lejos por las dudas, no era cosa de que
estuvieras solo si en una de esas.

—Bueno, ya viste. Sabés, el pobre Walter hin-
chaba por Nápoles.

—No era Walter —dijo Peralta.

El auto seguía hacia el sur, Estévez sintió confusamente que por esa ruta no llegarían a la zona de la Bastilla, lo sintió como muy atrás porque todo el resto era una explosión en plena cara, Monzón pegándole a él y no a Mantequilla. Ni siquiera pudo abrir la boca, se quedó mirando a Peralta y esperando.

—Era tarde para prevenirte —dijo Peralta—. Lástima que te fueras tan temprano de tu casa, cuando telefoneamos Marisa nos dijo que ya habías salido y que no ibas a volver.

—Tenía ganas de caminar un rato antes de tomar el metro —dijo Estévez—. Pero entonces, decime.

—Todo se fue al diablo —dijo Peralta—. Walter telefoneó al llegar a Orly esta mañana, le dijimos lo que tenía que hacer, nos confirmó que había recibido la entrada para la pelea, todo estaba al pelo. Quedamos en que él me llamaría desde el aguantadero de Lucho antes de salir, cosa de estar seguros. A las siete y media no había llamado, telefoneamos a Geneviève y ella llamó de vuelta para avisar que Walter no había llegado a lo de Lucho.

—Lo estaban esperando a la salida de Orly —dijo la voz de Chaves.

—¿Pero entonces quién era el que . . .? —empezó Estévez, y dejó la frase colgada, de golpe comprendía y era sudor helado brotándole del cuello, resbalando por debajo de la camisa, la tuerca apretándole el estómago.

—Tuvieron siete horas para sacarle los datos —dijo Peralta—. La prueba, el tipo conocía cada detalle de lo que tenía que hacer con vos. Ya sabés como trabajan, ni Walter pudo aguantar.

—Mañana o pasado lo encontrarán en algún terreno baldío —dijo casi aburridamente la voz de Chaves.

—Qué te importa ahora —dijo Peralta—. Antes de venir a la pelea arreglé para que se las picaran de los aguantaderos. Sabés, todavía me quedaba alguna esperanza cuando entré en esa carpa de mierda, pero él ya había llegado y no había nada que hacer.

—Pero entonces —dijo Estévez—, cuando se fue con la plata...

—Lo seguí, claro.

—Pero antes, si ya sabías...

—Nada que hacer —repitió Peralta—. Perdido por perdido el tipo hubiera hecho la pata ancha ahí mismo y nos hubieran encanado a todos, ya sabés que ellos están palanqueados.

—¿Y qué pasó?

—Afuera lo esperaban otros tres, uno tenía un pase o algo así y en menos que te cuento estaban en un auto del parking para la barra de Delon y la gente de guita, con canas por todos lados. Entonces volví a la pasarela donde Chaves nos esperaba, y ahí tenés. Anoté el número del auto, claro, pero no va a servir para un carajo.

—Nos estamos saliendo de París —dijo Estévez.

—Sí, vamos a un sitio tranquilo. El problema ahora sos vos, te habrás dado cuenta.

—¿Por qué yo?

—Porque ahora el tipo te conoce y van a acabar por encontrarte. Ya no hay aguantaderos después de lo de Walter.

—Me tengo que ir, entonces —dijo Estévez. Pensó en Marisa y en el pibe, cómo llevárselos, cómo dejarlos solos, todo se le mezclaba con árboles de un comienzo de bosque, el zumbido en los oídos como si todavía la muchedumbre estuviera clamando el nombre de Monzón, ese instante en que había habido como una pausa de incredulidad y la toalla cayendo en medio del ring, la noche de Mantequilla, pobre viejo. Y el tipo había estado a favor de Mantequilla, ahora que lo pensaba era raro que hubiese estado del lado del perdedor, tendría que haber estado con Monzón, llevarse la plata como Monzón, como alguien que da la espalda y se va con todo, para peor burlándose del vencido, del pobre tipo con la cara rota o con la mano tendida diciéndole bueno, fue un placer. El auto frenaba entre los árboles y Chaves cortó el motor. En la oscuridad ardió el fósforo de otro cigarrillo, Peralta.

—Me tengo que ir, entonces —repitió Estévez—. A Bélgica, si te parece, allá está el que sabés.

—Estarías seguro si llegaras —dijo Peralta—, pero ya viste con Walter, tienen gente en todas partes y mucha manija.

—A mí no me agarrarán.

—Como Walter, quién iba a agarrarlo a Walter y hacerlo cantar. Vos sabés otras cosas que Walter, eso es lo malo.

—A mí no me agarran —repitió Estévez—. Mirá, solamente tengo que pensar en Marisa y el pibe, ahora que todo se fue a la mierda no los puedo dejar aquí, se van a vengar con ella. En un día arreglo todo y me los llevo a Bélgica, lo veo al que sabés y sigo solo a otro lado.

—Un día es demasiado tiempo —dijo Chaves volviéndose en el asiento. Los ojos se acostumbraban a la oscuridad, Estévez vio su silueta y la cara de Peralta cuando se llevaba el cigarrillo a la boca y pitaba.

—Está bien, me iré lo antes que pueda —dijo Estévez.

—Ahora mismo —dijo Peralta sacando la pistola.

Cortázar, Julio.
Alguien que anda por ahí / [por] Julio Cortázar. -- Mexico : Editorial Hermes, 1977.
213 p., 1 leaf ; 18 cm.

I. Title

INDICE

Este libro se terminó de imprimir el día 25
de Noviembre de 1977 en los talleres de Lito
Ediciones Olimpia, S. A. Sevilla 109, y se
encuadernó en Encuadernación Progreso,
S. A. Municipio Libre 188, México 13, D. F.
Se tiraron 15,000 ejemplares.